O direito da criança ao respeito

CIP-BRASIL. CATALOGAÇÃO NA PUBLICAÇÃO
SINDICATO NACIONAL DOS EDITORES DE LIVROS, RJ

D15d

Dallari, Dalmo de Abreu, 1931-2022
  O direito da criança ao respeito / Dalmo de Abreu Dallari, Janusz Korczak. - [5. ed., rev.]. - São Paulo : Summus, 2022.
  120 p. ; 21 cm.

  ISBN 978-65-5549-075-6

  1. Educação - Discursos, ensaios e conferências. 2. Direitos das crianças - Discursos, ensaios e conferências. 3. Pais e filhos - Discursos, ensaios e conferências. I. Korczak, Janusz. II. Título.

22-77711
CDD: 305.23
CDU: 316.346.32-053.2

Meri Gleice Rodrigues de Souza - Bibliotecária - CRB-7/6439

www.summus.com.br

Compre em lugar de fotocopiar.
Cada real que você dá por um livro recompensa seus autores
e os convida a produzir mais sobre o tema;
incentiva seus editores a encomendar, traduzir e publicar
outras obras sobre o assunto;
e paga aos livreiros por estocar e levar até você livros
para a sua informação e o seu entretenimento.
Cada real que você dá pela fotocópia não autorizada de um livro
financia o crime
e ajuda a matar a produção intelectual de seu país.

O direito da criança ao respeito

Janusz Korczak
Dalmo de Abreu Dallari

summus
editorial

O DIREITO DA CRIANÇA AO RESPEITO
Copyright © 1986, 2022 by Dalmo de Abreu Dallari e Janusz Korczak
Direitos desta edição reservados por Summus Editorial

Editora executiva: **Soraia Bini Cury**
Edição: **Janaína Marcoantonio**
Revisão: **Raquel Gomes**
Capa: **Luísa Gimenez**
Projeto gráfico: **Gabrielly Silva | Origem Design**
Diagramação: **Crayon Editorial**

Summus Editorial
Departamento editorial
Rua Itapicuru, 613 – 7º andar
05006-000 – São Paulo – SP
Fone: (11) 3872-3322
http://www.summus.com.br
e-mail: summus@summus.com.br

Atendimento ao consumidor
Summus Editorial
Fone: (11) 3865-9890

Vendas por atacado
Fone: (11) 3873-8638
e-mail: vendas@summus.com.br

Impresso no Brasil

Sumário

Prefácio — *Jaime Wright* 7

Declaração dos Direitos da Criança 9

Parte I. O direito da criança ao respeito — *Janusz Korczak* . . 19
Menosprezo e desconfiança 21
Má vontade 29
O direito ao respeito 39
O direito da criança de ser o que é 47

Parte II. Os direitos da criança — *Dalmo de Abreu Dallari* . . 57
Direito de ser 61
Direito de pensar 69
Direito de sentir 77
Direito de querer 91
Direito de viver 97
Direito de sonhar 107

Prefácio

É realmente um privilégio prefaciar um livro cujo tema gira em torno dos direitos da criança!

O privilégio é maior porque os autores são dois notáveis educadores, um da Europa, o outro da América Latina; um oriundo da tradição judaica, o outro da cristã católica; um tendo como ponto de referência a Declaração de Genebra de 1924 sobre os Direitos da Criança, o outro a Declaração Universal dos Direitos da Criança de 1959: Janusz Korczak, que foi arrastado ao famigerado campo de concentração de Treblinka durante a Segunda Guerra Mundial para morrer assassinado pelos nazistas junto com as crianças que não quis abandonar, e Dalmo de Abreu Dallari, que enfrentou as hostes fascistas da ditadura civil-militar brasileira ao denunciar contínua e corajosamente suas violações dos direitos humanos.

Apesar de escreverem em épocas diferentes, os dois se complementam harmoniosamente. Têm como pano de fundo comum a rica tradição judaico-cristã, que o leitor poderá conferir através da leitura dos textos bíblicos do Antigo e do Novo Testamento que inseri após cada um dos dez princípios da Declaração dos Direitos da Criança, reproduzida a seguir.

Longe de serem sectários, porém, os autores escrevem sobre os valores mais preciosos da humanidade, acumulados, destilados, testados e depositados no vasto cabedal humanista da cidadania ecumênica universal.

Jaime Wright

Declaração dos Direitos da Criança

(Aprovada pelas Nações Unidas em 20 de novembro de 1959)

Fundamentação bíblica judaico-cristã

> *Teus filhos serão como rebentos de oliveira ao redor da tua mesa.*
> (Salmos 128,3)

> *Em verdade vos digo: quem não receber o reino de Deus como uma criança, não entrará nele.*
> (Marcos 10,15)

Preâmbulo

Considerando que os povos das Nações Unidas reafirmaram, na Carta, sua fé nos direitos humanos fundamentais, na dignidade e no valor do ser humano, e resolveram promover o progresso social e elevar o nível de vida dentro de um conceito mais amplo de liberdade;

Considerando que as Nações Unidas proclamaram, na Declaração Universal dos Direitos Humanos, que todas as pessoas têm todos os direitos nela enunciados, sem qualquer distinção de raça, cor, idioma, religião, opinião — seja política ou de qualquer outra natureza –, origem social, ou nacionalidade, posição econômica, nascimento ou qualquer outra condição;

Considerando que a criança, por sua imaturidade física e mental, necessita de proteção e cuidados especiais, incluindo-se a devida proteção legal, tanto antes quanto depois do nascimento;

Considerando que a necessidade de tal proteção especial foi enunciada na Declaração de Genebra de 1924 sobre os Direitos da Criança e reconhecida na Declaração Universal dos Direitos Humanos e nos atos constitutivos dos organismos especializados e das organizações internacionais que se interessam pelo bem-estar da criança;

Considerando que a humanidade deve à criança o que de melhor tiver a dar,

A Assembleia Geral

Proclama a presente Declaração dos Direitos da Criança, a fim de que esta possa ter uma infância feliz e gozar — pelo seu próprio bem e o da sociedade — dos direitos e liberdades que aqui se enunciam e conclama os pais, os homens e mulheres individualmente e as organizações privadas, as autoridades locais e governos nacionais a reconhecer estes direitos e lutar por sua observância, através de medidas legislativas ou de outra índole, a ser adotadas progressivamente em conformidade com os seguintes princípios:

Princípio I
A criança desfrutará de todos os direitos enunciados nesta Declaração. Estes Direitos serão outorgados a todas as crianças, sem qualquer exceção, distinção ou discriminação por motivo de raça, cor, sexo, idioma, religião, opiniões políticas ou de outra natureza, nacionalidade ou origem social, posição econômica, nascimento ou outra condição, seja inerente à própria criança ou à sua família.

"Não deis atenção em vossos julgamentos à aparência das pessoas. Ouvi tanto os pequenos como os grandes, sem temor de ninguém, porque a Deus pertence o juízo." (Deuteronômio 1,17) "Porque o Senhor vosso Deus é o Deus dos deuses e o Senhor dos senhores, o Deus grande, o forte e terrível, que não faz acepção de pessoas nem aceita suborno." (Deuteronômio 10,17)

> "Agora reconheço deveras que não há em Deus acepção de pessoas, mas lhe é agradável quem, em qualquer nação, o temer e praticar a justiça." (Atos 10,34-35) "Não há distinção entre judeu e grego. Um mesmo é o Senhor de todos, rico para todos que o invocam." (Romanos 10,12) "Então não haverá nem judeu nem grego, nem bárbaro nem cita, nem escravo nem livre." (Colossenses 3,11)

Princípio II

A criança gozará de proteção especial e disporá de oportunidades e serviços, a ser estabelecidos em lei e por outros meios, de modo que possa desenvolver-se física, mental, moral, espiritual e socialmente de forma saudável e normal, assim como em condições de liberdade e dignidade. Ao promulgar leis com este fim, a consideração fundamental a que se atenderá será o interesse superior da criança.

> "Quanto ao jovem Samuel, continuava crescendo em estatura e na estima tanto do Senhor como dos homens." (1 Samuel 2,26) "Em paz me deito e logo adormeço, porque só tu, Senhor, me fazes viver em segurança." (Salmos 4,9) "Seguirás tranquilo teu caminho, sem que tropece teu pé. Quando te sentares, não terás sobressaltos, quando te deitares, o sono será tranquilo." (Provérbios 3,23-24) "Exterminarei da face da terra o arco, a espada e a guerra, e os farei habitar em segurança." (Oseias 2,20)

> "Jesus crescia em sabedoria, idade e graça diante de Deus e dos homens." (Lucas 2,52) "O ladrão não vem senão para roubar, matar e destruir. Eu vim para que tenham vida e a tenham em abundância." (João 10,10) "Deus me disse: 'Não te abandonarei nem te desampararei'. De maneira que confiantemente possamos dizer: 'O Senhor é meu auxílio, não temerei. O que me poderá fazer o homem?'" (Hebreus 13,5-6)

Princípio III

A criança tem direito, desde o seu nascimento, a um nome e a uma nacionalidade.

"Quando o Altíssimo espalhou o gênero humano, fixou os limites dos povos." (Deuteronômio 32,8) "Os céus são os céus do Senhor, mas a terra ele deu aos filhos dos homens." (Salmos 115,16)

"O Deus que fez o mundo e todas as coisas que nele há estabeleceu para os povos os tempos e os limites de sua habitação." (Atos 17,24 e 26) "Paulo respondeu: 'Pois eu tenho a cidadania por nascimento'." (Atos 22,28)

Princípio IV

A criança deve gozar dos benefícios da previdência social. Terá direito a crescer e desenvolver-se em boa saúde; para essa finalidade deverão ser proporcionados, tanto a ela quanto à sua mãe, cuidados especiais, incluindo-se a alimentação pré e pós-natal. A criança terá direito a desfrutar de alimentação, moradia, lazer e serviços médicos adequados.

"As casas estão em paz e sem temor." (Jó 21,9) "Pela boca das crianças e dos pequeninos preparaste teu louvor contra os adversários, reduzindo ao silêncio o inimigo e o rebelde." (Salmos 8,3) "O Senhor cura os corações atribulados e pensa-lhes as feridas." (Salmos 147,3) "Não haverá crianças que vivam apenas alguns dias. Construirão casas, para nelas morar." (Isaías 65,20-21) "Eis que lhes trarei remédio e cura; os curarei e lhes revelarei as riquezas da paz e da segurança." (Jeremias 33,6) "É para vós tempo de habitar em casas luxuosas, enquanto esta casa está em ruínas?" (Ageu 1,4)

"Não são os sadios que têm necessidade de médico, mas os doentes." (Mateus 9,12) "Deixa que primeiro se fartem os filhos, porque não fica bem tirar o pão dos filhos e jogá-los aos cães." (Marcos 7,27) "Os cegos veem, os coxos andam, os leprosos ficam limpos, os surdos ouvem, os mortos ressuscitam, os pobres são evangelizados." (Lucas 7,22) "Todavia nos fizemos discretos em vosso meio, como a mãe que acaricia os filhos." (1 Tessalonicenses 2,7)

(O direito da criança ao respeito)

Princípio V
A criança física ou mentalmente deficiente ou aquela que sofra de algum impedimento social deve receber o tratamento, a educação e os cuidados especiais que requeira o seu caso particular.

"Defendei o desvalido e o órfão, fazei justiça ao humilde, ao necessitado!" (Salmos 82,3) "Um assiste ao outro e diz ao colega: 'Coragem!'" (Isaías 41,6) "Odiai o mal e amai o bem, assegurai que se faça justiça nos tribunais." (Amós 5,15)

"Felizes os que se compadecem, porque alcançarão misericórdia." (Mateus 5,7) "Cuidai de não desprezar um desses pequeninos." (Mateus 18,14) "Em tudo vos dei exemplo, mostrando-vos como, por igual trabalho, é preciso socorrer os necessitados, recordando as palavras do Senhor Jesus, que disse: 'Maior felicidade é dar do que receber'." (Atos 20,35) "Nós, que somos fortes, devemos suportar as fraquezas dos fracos e não olhar apenas para nosso interesse." (Romanos 15,1)

Princípio VI
A criança necessita de amor e compreensão para o desenvolvimento pleno e harmonioso de sua personalidade; sempre que possível, deverá crescer com o amparo e sob a responsabilidade de seus pais, mas, em qualquer caso, em um ambiente de afeto e segurança moral e material; salvo circunstâncias excepcionais, não se deverá separar a criança de tenra idade de sua mãe. A sociedade e as autoridades públicas terão a obrigação de cuidar especialmente da criança abandonada ou daquelas que careçam de meios adequados de subsistência. Convém que se concedam subsídios governamentais, ou de outra espécie, para a manutenção dos filhos de famílias numerosas.

"Faz justiça ao órfão e à viúva." (Deuteronômio 10,18) "Sejam como plantas nossos filhos, já desenvolvidos na adolescência; nossas filhas, como colunas bem talhadas, como esculturas de um palácio!" (Salmos 144,12) "Meu filho, escuta a advertência de teu pai e não rejeites o ensino de tua mãe." (Provérbios, 1,8) "Tirai a maldade de vossas ações de minha frente. Deixai de fazer o mal! Aprendei a fazer o bem! Procurai o direito, corrigi o opressor. Fazei justiça ao órfão." (Isaías 1,16-17) "Pode uma mulher esquecer seu bebê, deixar de querer bem ao filho de suas entranhas?" (Isaías 49,15)

"E quem por amor de mim receber uma criança destas, é a mim que recebe; e quem transviar um destes pequeninos que creem em mim, mais lhe valia que lhe pendurassem ao pescoço uma pedra de moinho e o jogassem no fundo do mar." (Mateus 18,5-6) "E se repartir toda a minha fortuna e entregar meu corpo ao fogo mas não tiver caridade, nada disso me aproveita." (1 Coríntios 13,3) "Mas acima de tudo revesti-vos da caridade, que é vínculo da perfeição. Filhos, obedecei em tudo a vossos pais, porque agrada ao Senhor. Pais, deixai de irritar vossos filhos para não desanimarem." (Colossenses 3,14; 20-21)

Princípio VII

A criança tem direito a receber educação escolar, a qual será gratuita e obrigatória, ao menos nas etapas elementares. Dar-se-á à criança uma educação que favoreça sua cultura geral e lhe permita — em condições de igualdade de oportunidades — desenvolver suas aptidões e sua individualidade, seu senso de responsabilidade social e moral, chegando a ser um membro útil à sociedade.

O interesse superior da criança deverá ser o interesse diretor daqueles que têm a responsabilidade por sua educação e orientação; tal responsabilidade incumbe, em primeira instância, a seus pais.

A criança deve desfrutar plenamente de jogos e brincadeiras, os quais deverão estar dirigidos para a educação; a sociedade e as autoridades públicas se esforçarão para promover o exercício deste direito.

"Amarás o Senhor teu Deus com todo o coração, com toda alma, com todas as forças, e trarás bem dentro do coração todas estas palavras que hoje te digo. Tu as inculcarás a teus filhos e delas falarás quando estiveres sentado em casa e quando estiveres andando pelo caminho, quando te deitares e te levantares." (Deuteronômio 6,5-7) "Habitua o menino no caminho a seguir, então não se afastará dele quando envelhecer." (Provérbios 22,6) "Meu povo foi destruído por falta de conhecimento." (Oseias 4,6)

"Meus filhinhos, não amemos com palavras nem de boca, mas com obras e verdade." (1 João 3,18) "Deus me fez rir." (Gênesis 21,6) "Deixam as crianças correr como cabritos, e a filharada brincar alegremente. Cantam ao som do pandeiro e da cítara e divertem-se ao som da flauta." (Jó 21,11-12) "Nossa boca se enchia de riso, e nossa língua, de gritos de júbilo." (Salmos 126,2) "O coração alegre anima o semblante, mas a preocupação do coração abate o espírito." (Provérbios 15,13) "Um coração alegre faz bem ao corpo, mas o espírito abatido resseca os ossos." (Provérbios 17,22) "Deles sairão ação de graças e gritos de alegria." (Jeremias 30,19) "E as praças da cidade se encherão de meninos e meninas, que nelas brincarão." (Zacarias 8,5) "Era preciso fazer festa e alegrar-se." (Lucas 15,32)

Princípio VIII

A criança deve — em todas as circunstâncias — figurar entre os primeiros a receber proteção e auxílio.

"Abre a mão para o irmão, para o necessitado e para o pobre de tua terra." (Deuteronômio 15,11) "O Senhor levanta do pó o pobre, do monturo ergue o indigente, fazendo-os sentar com os príncipes e concedendo-lhes um trono glorioso." (1 Samuel 2,8) "O ódio suscita desavenças, mas o amor encobre todas as ofensas." (Provérbios 10,12) "O fruto da justiça será a paz, e a obra da justiça será a tranquilidade e a segurança para sempre!" (Isaías 32,17) "Porque eu quero amor e não sacrifícios." (Oseias 6,6)

"Quem der de beber a um destes pequeninos um copo de água fresca por ser meu discípulo, em verdade vos digo: não há de perder sua recompensa." (Mateus 10,42) "Tive fome e me destes de comer, tive sede e me destes de beber, fui peregrino e me acolhestes, estive nu e me vestistes, enfermo e me visitastes, estava preso e viestes ver-me. Todas as vezes que fizestes a um destes meus irmãos menores a mim o fizestes." (Mateus 25,35-36; 40) "Amarás o próximo como a ti mesmo." (Marcos 12,31) "Seja sincera vossa caridade. Aborrecei o mal atendo-vos ao bem. Sede cordiais no amor fraterno entre vós. Rivalizai em honrar-vos reciprocamente." (Romanos 12,9--10) "Carregai os fardos uns dos outros." (Gálatas 6,2) "Se o irmão ou irmã estiver nu e carente do alimento cotidiano e algum de vós lhe disser: 'Ide em paz, aquecei-vos e fartai-vos', mas não lhe derdes com que satisfazer a necessidade do corpo, que adiantará?" (Tiago 2,15-16)

Princípio IX

A criança deve ser protegida contra toda forma de abandono, crueldade e exploração. Não será objeto de nenhum tipo de tráfico.

Não se deverá permitir que a criança trabalhe antes de uma idade mínima adequada; em caso algum será permitido que a criança se dedique a, ou a ela se imponha, qualquer ocupação ou emprego que possa prejudicar sua saúde ou sua educação, ou impedir seu desenvolvimento físico, mental ou moral.

"Não vos adverti eu, dizendo 'não pequeis contra o menino'?" (Gênesis 42,22) "Por que esmagais o meu povo e calcais aos pés o rosto dos pobres?" (Isaías 3,15) "O jejum que aprecio é este: solta as algemas injustas, desata as brochas da canga, dá liberdade aos oprimidos e despedaça todo jugo! Reparte o pão com o faminto, acolhe em casa os pobres sem teto! Quando vires um homem sem roupa, veste-o e não te recuses a ajudar o próximo!" (Isaías 58,6-7) "Se deres ao faminto do teu sustento e saciares o estômago das pessoas aflitas, então brilhará tua luz nas trevas, e tua escuridão se transformará em pleno meio-dia." (Isaías 58,10) "Praticai o direito e a justiça. Livrai o explorado da mão do agressor; não oprimais o estrangeiro, o órfão ou a viúva, não os violenteis nem derrameis sangue inocente." (Jeremias 22,3) "Já é demais! Repeli a violência e a exploração! Praticai o direito e a justiça! Sustai as expropriações contra o meu povo!" (Ezequiel 45,9) "Já te foi revelado, ó homem, o que é bom e o que o Senhor exige de ti: nada mais do que praticar o direito, amar a bondade e caminhar humildemente com teu Deus!" (Miqueias 6,8)

"Tudo que desejais que os homens vos façam, fazei vós a eles." (Mateus 7,12) "O Espírito do Senhor está sobre mim, porque ele me ungiu para evangelizar os pobres; enviou-me para anunciar aos aprisionados a libertação, aos cegos a recuperação da vista, para pôr em liberdade os oprimidos." (Lucas 4,18)

Princípio X
A criança deve ser protegida contra as práticas que possam fomentar a discriminação racial, religiosa ou de qualquer outra índole. Deve ser educada dentro de um espírito de compreensão, tolerância, amizade entre os povos, paz e fraternidade universais e com plena consciência de que deve consagrar suas energias e aptidões ao serviço dos seus semelhantes.

"Como é bom e agradável irmãos viverem unidos!" (Salmos 133,1) "Se teu inimigo tem fome, dá-lhe de comer pão, se tem sede, dá-lhe de beber água!" (Provérbios 25,21) "Eles forjarão de suas espadas arados e de suas lanças podadeiras. Uma nação não levantará a espada contra outra e não se adestrarão mais para a guerra." (Isaías 2,4) "Então o lobo habitará com o cordeiro e o leopardo se deitará com o cabrito. O bezerro, o leãozinho e o animal cevado estarão juntos e um menino os conduzirá." (Isaías 11,6) "Julgai um julgamento verdadeiro, praticai o amor e a misericórdia uns com os outros. Não oprimais a viúva, o órfão, o estrangeiro e o pobre, não trameis o mal em vossos corações, um contra o outro." (Zacarias, 7,9-10) "Falai a verdade uns com os outros; julgai em vossas portas um julgamento de paz; não maquineis, uns contra os outros, o mal em vossos corações; não ameis juramentos falsos." (Zacarias 8,16-17)
"Felizes os pacíficos, porque serão chamados filhos de Deus." (Mateus 5,9) "Se quiseres ser perfeito, vai, vende tudo que tens, dá aos pobres, e terás um tesouro nos céus; depois vem e me segue." (Mateus 19,21) "O maior seja

como o menor, e quem manda, como quem serve." (Lucas 22,26) "Este é o meu mandamento: amai-vos uns aos outros como eu vos amei." (João 15,12) "Ninguém considerava sua propriedade o que possuía. Tudo entre eles era comum." (Atos 4,32) "Amigos, disse ele, sois irmãos, por que vos maltratais um ao outro?" (Atos 7,26) "Ninguém procure o seu proveito, mas sim o dos outros." (1 Coríntios 10,24) "Pois não se trata de aliviar os outros às custas de vossa necessidade; mas se trata de que agora, com equidade, vossa fartura supra a escassez dos outros, para eles, por sua vez, aliviarem, com sua fartura, vossa penúria, segundo está escrito: nem quem muito recolheu tinha em abundância; nem quem pouco recolheu sentiu falta." (2 Coríntios 8,13-15) "Enquanto dispomos de tempo, façamos bem a todos." (Gálatas 6,10) "Não façais nada por espírito de competição, por vanglória, ao contrário, levados pela humildade, considerai uns aos outros superiores, não visando cada um o próprio interesse, mas o dos outros." (Filipenses 2,3-4) "Exercei a hospitalidade uns com os outros sem murmuração." (1 Pedro 4,9) "Porque a mensagem, que desde o princípio ouvistes, é que nos amemos uns aos outros." (João 3,11) "No amor não há temor, pois o amor perfeito livra-se do temor. Temor supõe castigo, e quem teme não é perfeito no amor. Se alguém disser: 'Amo a Deus' mas odiar o irmão, é mentiroso. Pois quem não ama o irmão a quem vê não pode amar a Deus, a quem não vê. Temos de Deus o preceito: quem ama a Deus, ame também o irmão." (1 João 4,18; 20-21).

(Os textos do Antigo e do Novo Testamento foram selecionados pelo reverendo Jaime Wright e extraídos da Bíblia Vozes, publicada em 1983. O texto da Declaração dos Direitos da Criança foi traduzido pelo escritório do Unicef em Brasília.)

O direito da criança ao respeito

Janusz Korczak
Tradução do polonês: Yan Michalski

Menosprezo e desconfiança

Todos nós crescemos convencidos de que o grande vale mais do que o pequeno.

"Sou grande"', grita, contente, o garotinho trepado em cima de uma mesa. "Sou mais alto que você", constata com orgulho, comparando-se com outra criança da mesma idade.

É chato esticar-se todo na ponta dos dedos dos pés e não conseguir alcançar o objeto almejado; é duro, para as pernas curtas, tentar acompanhar os adultos a passos miúdos; o copo teima em cair da mãozinha pequena. Quanto esforço e trabalho para se sentar numa cadeira, entrar num ônibus, subir uma escada. Impossível pegar uma maçaneta, olhar pela janela, apanhar ou pendurar um objeto: tudo está sempre alto demais. Na multidão não se consegue enxergar, é fácil se perder, levar um empurrão. Enfim, é incômodo ser pequeno, é chato.

Para conquistar respeito e admiração é preciso ser grande, ocupar muito espaço. O que é pequeno é banal e desinteressante. Gente pequena, necessidades pequenas, pequenas alegrias e tristezas.

Uma grande cidade, uma grande montanha, uma árvore alta: isto, sim, impressiona. Costumamos dizer:

— Uma grande façanha, um grande homem.

A criança é pequena, é leve, é pouca coisa. É preciso inclinar-se na sua direção, abaixar-se.

Pior ainda: a criança é fraca.

Pode-se levantá-la, jogá-la no ar, fazê-la se sentar contra a sua vontade, interromper a sua corrida, frustrar o seu esforço.

Se ela não obedece, temos força de sobra para impor a nossa vontade. Basta dizer: "Não se afaste, não toque, passe para lá, devolva!" A criança já sabe que não há como resistir. Quantas vezes tentou, sem resultado, até que entendeu, capitulou, resignou-se? Que criança ousará, e em que excepcionais condições, empurrar um adulto, puxá-lo, bater nele? Ora, bater numa criança é coisa corriqueira e inocente, como também puxá-la com força pela mão, ou apertá-la duramente num abraço carinhoso.

A sensação de impotência faz surgir o culto da força. Qualquer um — não só o adulto, mas também o garoto mais velho e forte — pode expressar brutalmente o seu descontentamento, usar a força para apoiar suas exigências e cobrar obediência. Qualquer um pode magoar impunemente.

É pelo nosso exemplo que a criança aprende a menosprezar aquilo que é fraco. Eis uma formação ruim, e um sombrio presságio.

A face do mundo mudou. Não é mais a força muscular que executa o trabalho e nos defende do inimigo, ou extrai da terra, da floresta e do mar o poder, o bem-estar e a segurança. Quem o faz é a máquina, esse nosso obediente escravo. Os músculos perderam a exclusividade dos privilégios e da estima. Passou-se a respeitar mais e mais o intelecto e o saber.

A despojada cela do pensador ou do alquimista de ontem foi substituída por centros de pesquisa e grandes laboratórios. Nas bibliotecas, cada vez maiores, as estantes mal aguentam o peso dos livros. Os orgulhosos templos do saber tornam-se cada vez mais povoados. O cientista cria e dá ordens. Os hieróglifos dos números e dos gráficos entregam às multidões novas conquistas e dão o testemunho do poder da humanidade. É preciso fixar tudo isso na memória e na mente.

Multiplicam-se os anos de laboriosa aprendizagem, surgem cada vez mais escolas, exames, palavras impressas. Mas a criança, tão pequena, tão fraca, que viveu tão pouco — não leu nada, não sabe nada...

Uma questão grave: como dividir os territórios conquistados, que tarefas e recompensas devem caber a cada um, como organizar esse mundo recém-dominado? Quantas oficinas criar, e por onde espalhá-las, para garantir trabalho às mãos e aos cérebros que o reclamam?

(*O direito da criança ao respeito*)

Como manter em ordem e disciplina o formigueiro humano, e como protegê-lo das loucuras do indivíduo mal-intencionado? Como repartir as horas da vida entre atividades, repouso e lazer? Como defender-se da apatia, da saturação, do tédio? Como reunir as pessoas em aglomerações coesas, como facilitar o entendimento entre elas, como e quando dispersá-las e dividi-las? Ora instigar e incentivar, ora frear o impulso, ora inflamar, ora apagar o fogo...

Os políticos e os legisladores experimentam soluções cuidadosamente elaboradas, mas a toda hora acabam se equivocando.

Entre outras coisas, deliberam e decidem sobre o destino das crianças. Mas a ninguém ocorreria perguntar à própria criança o que ela acha, se está de acordo. Afinal, o que ela teria a dizer?

Além do raciocínio e do saber, o que ajuda muito na luta pela sobrevivência e pela influência é a esperteza. O indivíduo astuto, capaz de farejar de longe a pista do sucesso, costuma receber uma recompensa excessivamente generosa. Seus ganhos são mais rápidos e fáceis do que seria legítimo prever; por isso, ele impressiona e desperta inveja. É preciso passar pelos caminhos da malícia para aprender a conhecer os homens; e esses caminhos não passam pelos altares, mas pelos chiqueiros da vida.

E a criança vai caminhando atrás, a passos curtos, sem jeito, com seus livros e cadernos, sua bola, sua boneca. Sente que acima dela, e sem a sua participação, vêm sendo tomadas decisões graves, que determinarão a sua felicidade ou infelicidade, os seus castigos ou recompensas, e esvaziarão a sua capacidade de resistência.

A flor é uma promessa do futuro fruto, o pintinho vai tornar-se galinha poedeira, a novilha um dia dará leite. Por enquanto, exigem cuidados e despesas, e impõem uma preocupação: será que vai vingar? Vai corresponder às expectativas?

A juventude gera inquietação: é preciso esperar muito tempo. Ela poderá, quem sabe, vir a ser o sustento da velhice, cumprir o que dela se espera. Mas a vida tem secas, geadas e chuvas de granizo que inutilizam as colheitas...

Buscamos presságios, desejamos prever, ter certeza; a inquieta espera daquilo que será agrava o menosprezo por aquilo que é.

O jovem vale pouco no mercado. Só perante a Justiça e perante Deus a flor da árvore frutífera vale tanto quanto o futuro fruto, e o campo de brotos verdes tanto quanto o trigal maduro, pronto para ser colhido.

Nós mimamos a criança, a protegemos, alimentamos, educamos. Ela recebe tudo, despreocupada. O que seria dela sem nós, a quem tudo deve?

Nós, unicamente nós, exclusivamente nós, lhe demos tudo, absolutamente tudo.

Conhecemos os caminhos que levam à prosperidade, sabemos dar indicações e conselhos. Desenvolvemos as qualidades, corrigimos os defeitos. Encarregamo-nos de guiá-la, aperfeiçoá-la, torná-la resistente. Ela não pode nada, nós podemos tudo.

Ordenamos e exigimos obediência.

Responsáveis perante a moral e a lei, capazes de saber e prever, somos nós os únicos juízes dos atos, dos movimentos, dos pensamentos e das intenções da criança.

Determinamos as tarefas e cobramos o seu cumprimento. Tudo depende de nossa vontade e compreensão. São as nossas crianças, nossa propriedade. É proibido tocar.

(É verdade que alguma coisa já mudou. A vontade e a autoridade da família não são mais exclusivas: de leve, com precaução, quase imperceptivelmente, aparece um controle social.)

O mendigo dispõe à vontade da esmola que ganhou; a criança não tem nada que seja dela; precisa prestar contas de cada objeto que lhe é gratuitamente cedido para seu uso.

É proibido rasgar, quebrar, sujar, ou dar de presente, ou recusar. Deve-se aceitar e ficar contente. Tudo em seu tempo e no lugar certo, tudo bem planejado e de acordo com o objetivo predeterminado.

(Talvez seja por isso que a criança valoriza miudezas sem valor, sua única real propriedade e riqueza: trastes velhos, barbantes, caixinhas, miçangas — objetos que aos adultos só inspiram uma comiseração desconfiada.)

Para ganhar algo, a criança precisa submeter-se, mostrar-se merecedora por meio do bom comportamento. Admitimos que ela nos peça favores, nos seduza para conquistá-los — contanto que não exija nada. Ela não tem direitos, o que ganha é fruto de nossa boa vontade. (Impõe-se, então, uma comparação dolorosa: a amante sustentada por um ricaço.) Assim, nossa relação com as crianças é corrompida pela miséria e pela dependência dos nossos favores materiais a que elas são condenadas.

Menosprezamos a criança porque ela nada sabe, nada adivinha, nada pressente. Ignora as dificuldades e complexidades da vida adulta, não sabe o que motiva as nossas fases de excitação, desânimo e cansaço, o que perturba a nossa paz e estraga o nosso humor; não tem ideia das derrotas e das falências da idade madura. Na sua ingenuidade, deixa-se facilmente adormecer ou enganar, não percebe nada do que lhe ocultamos.

Ela julga que a vida é simples e fácil. Papai e mamãe estão aqui; ele para ganhar dinheiro, ela para fazer as compras. A criança não se dá conta de que existem compromissos traídos, nem de que cada um luta por aquilo a que tem direito, ou por algo mais.

Livre de preocupações materiais e de tentações ou emoções fortes, claro que é incapaz de conhecer-nos e julgar-nos. Mas nós sabemos descobri-la de imediato, torná-la transparente com um único olhar, revelar sem maiores investigações as suas ingênuas artimanhas.

E se essa ideia de que a criança é apenas o que nós queremos que ela seja não passasse de uma ilusão? Quem sabe ela se esconde de nós, quem sabe ela sofre em segredo?

Cavamos túneis nas montanhas, derrubamos florestas, exterminamos animais. Surgem novas cidades onde antes só existiam matas e pântanos. Espalhamos homens por territórios virgens.

Subjugamos o mundo; o ferro e o animal passaram a ser nossos servidores; colonizamos as pessoas negras, ajeitamos bem ou mal as relações recíprocas entre as nações, seduzimos as multidões. A ordem justa ainda está longe: as violências e as humilhações predominam.

As dúvidas e incertezas infantis nos parecem tão desprovidas de seriedade...

O clarividente espírito democrático da criança não conhece hierarquias: ela sofre por igual diante do suor derramado pelo operário, da fome de um companheiro, da miséria de um cavalo de carga, do suplício de uma galinha degolada. O cachorro e o pássaro são seus iguais, a borboleta e a flor suas amigas, a pedra e a conchinha revelam-se suas irmãs. Sem afinidade com a jactância dos ambiciosos, ela simplesmente não sabe que o homem é o único ser a ter uma alma.

Não levamos a criança a sério porque ela tem muitas horas de vida pela frente.

Nós sentimos o esforço que custa cada passo que damos, o peso dos gestos interesseiros, a mesquinhez das nossas percepções e sensações. Já a criança corre e pula, olha em volta, espanta-se e faz perguntas, tudo isso espontaneamente, sem segundas intenções. Desperdiça suas lágrimas e vive generosamente suas alegrias.

No outono, quando o sol se torna raro, cada dia bonito tem o seu preço; na primavera, as árvores ficam verdes de qualquer modo. Basta pouca coisa para a criança sentir-se feliz, não há necessidade de providências especiais. Mas nós, apressados, levianamente ignoramos a sua presença. Menosprezamos a intensidade da sua vida e as alegrias que poderíamos proporcionar-lhe com tanta facilidade.

Sentimos o tempo fugir-nos entre as mãos, cada hora e cada ano têm muita importância; a criança não tem pressa, não tem medo de chegar atrasada, pode esperar.

Ela não é soldado, não defende a pátria, ainda que possa sofrer junto com ela.

Não precisamos cortejar a sua opinião, porque ela não tem direito de voto: não constitui uma ameaça, não exige nada, não fala.

Fraca, pequena, pobre, dependente, ela não passa de um cidadão em potencial.

O tratamento que lhe é dispensado pode ser indulgente, ríspido ou brutal, mas é sempre desrespeitoso.

Um fedelho, apenas uma criança, um futuro homem, um quase nada no presente. Só um dia existirá de verdade.

É preciso vigiá-la, ficar sempre de olho. Vigiar, não a deixar sozinha. Vigiar sem nunca se afastar.

Senão ela é capaz de cair, machucar-se, cortar-se, sujar-se toda, derramar alguma coisa, ou rasgar, ou quebrar, ou estragar, ou perder; ou botar fogo na casa, ou deixar o ladrão entrar. Vai fazer mal a si mesma, ao companheiro de brincadeiras, aos adultos.

Sejamos vigilantes: nada de iniciativas próprias; devemos exercer plenamente os nossos direitos de controle e de crítica.

A criança não sabe quando, quanto e o que deve comer e beber, ignora os limites do próprio cansaço. Sejamos, portanto, os guardas da sua alimentação, do seu sono e repouso.

Por quanto tempo, até quando? Sempre. Com o tempo, a desconfiança pode mudar de natureza, mas não diminui; talvez até aumente.

Ela é incapaz de distinguir o que é importante daquilo que é fútil. A ordem e o trabalho sistemático são noções estranhas para ela. Sempre distraída, vai esquecer tudo, negligenciar seus deveres. Nem sabe que a esperam futuras responsabilidades.

Precisamos instruí-la, guiá-la, governá-la, reprimi-la, refreá-la, corrigi-la, alertá-la, protegê-la dos perigos, impor-lhe os valores certos, impedi-la de adotar os errados.

Combater suas manhas, caprichos e obstinações.

Impor-lhe um programa de cautelas, precauções, receios e aflições, maus pressentimentos e previsões sombrias.

Nós, com a nossa experiência, sabemos quantos perigos a rodeiam, quantas ciladas, aventuras terríveis, catástrofes.

Sabendo que nem mesmo o máximo cuidado oferece uma garantia de segurança, tornamo-nos ainda mais desconfiados, para ficarmos com a consciência tranquila e não podermos nos acusar de nada no caso de alguma infelicidade.

Seduzida pelo gosto da travessura, a criança parece estranhamente atraída pelo mal. Tende a dar ouvidos aos conselhos perversos, a seguir os piores exemplos.

É fácil estragá-la, mas difícil reparar o estrago.

Desejamos o seu bem, queremos facilitar-lhe as coisas, colocamos à sua disposição toda a nossa experiência; é só estender a mão e servir-se. Sabemos o que é nocivo às crianças, pois lembramo-nos do que se revelou nocivo para nós; que ela possa evitar essas ameaças, ser poupada dessas más experiências.

"Lembre-se, saiba, procure compreender..."

"Você vai ver, vai se convencer..."

Ela não ouve. Por pirraça, de propósito.

Temos de fazer força para que obedeça, para que cumpra as nossas recomendações. Por iniciativa própria iria na direção errada, escolheria o pior caminho, o mais perigoso.

Como tolerar as travessuras tolas, os pulos sem sentido, as explosões irresponsáveis?

O homenzinho primário é suspeito. Parece submisso, inocente, quando na verdade é esperto e ardiloso.

Sabe escapar do nosso controle, entorpecer a nossa vigilância, enganar-nos. Tem sempre uma desculpa pronta, uma boa saída, quando não uma dissimulação ou até mesmo uma mentira.

Não merece confiança; é melhor ficar com um pé atrás.

Menosprezo, desconfiança, suspeitas e acusações.

Uma comparação dolorosa nos passa pela cabeça: seria a criança parecida com um aventureiro bêbado, revoltado, enlouquecido? Então, como fazer para conviver sob o mesmo teto?

Má vontade

Não faz mal. Amamos as crianças. Apesar de tudo, elas são a doçura, a esperança e a luz da nossa vida, nossa alegria e nosso repouso. Nada de assustá-las, sobrecarregá-las, atormentá-las; elas se sentem livres e felizes... Por que, então, há essa sensação de que a criança é um peso, um incômodo, um criador de problemas? De onde vem a opinião pouco lisonjeira que temos a respeito dos nossos pequeninos tesouros?

Antes mesmo que a criança ingresse neste mundo pouco hospitaleiro, a vida da família já foi invadida por confusões e restrições. Como estão longe os meses em que a expectativa parecia ser apenas um motivo de alegria...

O longo período de indisposições termina com a doença e a dor, noites de inquietação e despesas imprevistas. A paz do lar foi perturbada, a ordem abalada, o equilíbrio do orçamento está comprometido.

Ao cheiro azedo das fraldas e ao berro agudo do recém-nascido acrescenta-se o ruído das algemas conjugais.

É desagradável a gente não poder se comunicar com o bebê; há de se tentar intuir e adivinhar tudo. O que nos resta é esperar, munir-nos de paciência.

Quando, finalmente, ele começa a falar e andar, passa a zanzar sem rumo, tocar em tudo, enfiar-se em todos os cantos; acaba incomodando do mesmo jeito, atrapalhando os nossos esquemas, impondo-nos despoticamente as suas sujeiras.

Faz uma porção de estragos, resiste às nossas sábias vontades, só sabe exigir e entender aquilo que lhe é conveniente.

Parecem detalhes, mas não vamos subestimá-los: para o nosso ressentimento em relação às crianças contribui tanto o despertar de madrugada quanto o jornal amassado, a mancha no vestido ou na parede, o sofá molhado, os óculos e jarros de estimação quebrados, o leite ou perfume derramados, e também o pagamento do médico.

Costuma dormir em horas diferentes das que nos convêm, comer de maneira diferente. Pensamos que vai rir, mas ela se espanta e chora. É frágil, ainda por cima: à mínima distração, eis que ela nos ameaça com uma doença, anunciando novas dificuldades.

Basta um dos responsáveis perdoar para o outro apressar-se em acusar e punir. Além da mãe, o pai, a babá, a cozinheira e a vizinha encarregam-se de opinar sobre o que é bom para a criança, e muitas vezes de castigá-la, até às escondidas, contra a vontade materna.

O pequeno intrigante acaba sendo motivo de conflitos e disputas entre os adultos; alguém está sempre magoado ou ressentido. A indulgência de um é logo anulada pela dureza de outro. Muitas vezes, uma aparente bondade não passa de leviana negligência. Outras vezes, a criança paga o pato pelas culpas dos outros.

(Os meninos e as meninas não gostam de ser chamados de "crianças". Esta qualificação, que eles compartilham com os menorzinhos, os expõe a responder pelo passado, a assumir uma reputação da qual não têm culpa, ao mesmo tempo que enfrentam, também, as recriminações relativas ao comportamento próprio da sua faixa etária.)

Raramente a criança é o que gostaríamos que fosse; em geral, o seu crescimento nos causa muitas decepções.

— Na sua idade já deveria...

Em troca de tudo que lhe damos de bom grado, a criança deveria fazer força para agradar e compreender-nos, estar de acordo e saber renunciar; e, antes de mais nada, sentir-se agradecida.

Com a idade, crescem os compromissos e as cobranças, e na maioria das vezes tudo evolui bem diferentemente do que desejaríamos.

Parte do tempo, das exigências e do poder é delegada à escola. A vigilância se multiplica, as responsabilidades crescem, surgem conflitos entre as diversas autoridades.

As carências tornam-se visíveis.

(O direito da criança ao respeito)

Os pais tendem a perdoar; sua complacência decorre de um claro sentimento de culpa por terem dado vida a um ser tão frágil, expondo-o assim a muitos sofrimentos. A mãe chega às vezes a inventar uma doença para a criança, procurando nela uma proteção contra as acusações alheias e as suas próprias dúvidas.

Em geral, a voz materna não inspira confiança. Uma voz parcial, incompetente. É melhor consultar a opinião dos educadores, dos especialistas, para saber se a criança merece tanta benevolência.

É raro um professor particular encontrar, na casa em que trabalha, condições favoráveis para o convívio com a criança.

Constrangido por um controle desconfiado, ele se vê obrigado a tentar conciliar as instruções alheias com os próprios pontos de vista, entre exigências vindas de fora e a sua própria paz e conforto. Responsável pela criança que lhe é confiada, ele sofre as consequências das discutíveis decisões tomadas pelos seus patrões, tutores legais de seu aluno.

Obrigado a dissimular e a contornar as dificuldades, corre o risco de cair facilmente na hipocrisia, na amargura ou na preguiça.

À medida que os anos passam, amplia-se a distância entre as exigências do adulto e os desejos da criança; e intensifica-se o conhecimento dos processos pouco recomendáveis de subjugação.

Aparece uma mágoa contra o trabalho ingrato: para castigar alguém, Deus faz dele um educador.

Como nos cansa a vida agitada, barulhenta, intrigante da criança, com os seus mistérios, suas perguntas e perplexidade, suas descobertas e tentativas muitas vezes malsucedidas.

Poucas vezes somos conselheiros e consoladores; é mais comum caber-nos o papel de severos juízes. Mas a sentença sumária e a pena só trazem um único resultado:

As explosões de revolta e de aborrecimento tornam-se mais raras, mas também mais fortes e cheias de despeito. Então, há que se reforçar a vigilância, quebrar a resistência, prevenir as surpresas.

O declínio do trabalho do educador percorre a seguinte trajetória:

Menosprezo, desconfiança, suspeita, espreita, flagrante, repreensão, acusação, castigo; procura frenética de meios eficientes de prevenção. Proibições cada vez mais frequentes, obrigações cada vez mais rigorosas.

O educador não vê mais os esforços que a criança faz para preencher cuidadosamente uma folha de papel ou uma hora de sua vida; limita-se a constatar friamente que o resultado não é bom.

O azul do perdão torna-se raro, sendo substituído pela púrpura da cólera e da indignação.

A tarefa fica ainda mais difícil quando se trata de educar um grupo de crianças. Quanta compreensão se torna necessária, e como é fácil incorrer no erro das acusações e dos rancores!

Um só indivíduo, pequenino e fraco, já nos cansa, seus delitos isolados nos irritam; mas quanto mais importuna, incômoda, exigente e imprevisível nas suas reações parece a multidão.

Compreendam, por favor: não se trata de crianças, mas de multidão. De uma turma, de um bando, de uma quadrilha. Já não têm mais nada que ver com crianças.

Você já se acostumou à ideia de que é forte, e eis que de repente sente-se fraco e pequeno. A multidão, esse gigante dotado de grande peso coletivo e de enorme acervo de experiências, aparece na sua frente, ora unida numa resistência solidária, ora dividida em dezenas de pares de pernas e mãos, cada par aliado a uma cabeça que esconde pensamentos e secretas exigências.

Como é difícil a tarefa do educador que chega para iniciar um novo trabalho numa classe ou num colégio interno onde as crianças foram até então mantidas num severo rigor e se organizaram, insolentes e traumatizadas, em torno da lei do mais forte, à moda de uma quadrilha de bandidos. Como são fortes e ameaçadoras quando, através de um impulso coletivo, se chocam contra a sua vontade, como se quisessem derrubar um dique. Não são mais crianças, mas um elemento da natureza.

(O direito da criança ao respeito)

Quantas revoluções ocultas, que o educador prefere enfrentar em silêncio: é uma vergonha para ele reconhecer que é mais fraco do que as crianças.

Aprende assim a recorrer a todos os meios para reprimir e dominar. Nada de intimidades, nada de brincadeiras inocentes. É proibido fazer gestos irritados, calar-se obstinadamente, fulminar com o olhar! É preciso extirpar as raízes dessa insolência e dessa teimosia, queimá-las com o fogo da vingança. Para isso, o educador subornará os líderes com alguns privilégios, escolherá cuidadosamente os seus confidentes, não se preocupará em saber se as punições que aplica são justas, contanto que sejam rigorosas, exemplares, capazes de apagar a tempo a primeira centelha da rebelião. É preciso impedir que a poderosa multidão possa sequer pensar em querer impor suas exigências, seus assanhamentos.

A fraqueza da criança pode despertar ternura, a força do grupo só pode nos indignar e ofender.

Existe a falsa alegação de que a benevolência estimula a arrogância das crianças, de que a doçura recebe como resposta a desordem e a impunidade. Mas, por favor, não chamemos de bondade a nossa negligência, nem a nossa falta de habilidade, muito menos as nossas pobres tolices. Entre os educadores encontramos, lado a lado com vivaldinos, brutos e misantropos, pessoas incapazes, afastadas de muitos outros empregos, sem condições de assumir qualquer responsabilidade profissional.

Às vezes o professor recorre ao seu poder de sedução para conquistar em curto prazo, sem esforço e por processos baratos, a confiança dos alunos. Quando está de bom humor, faz questão de participar das brincadeiras infantis; mas não se expõe ao penoso trabalho exigido pela tarefa de organizar a vida de uma comunidade. E essa complacência paternalista é habitualmente intercalada por explosões de irritação. Acaba por se tornar ridículo aos olhos das crianças.

Outras vezes, um educador ambicioso acredita que é fácil transformar o homem por meio de palavras persuasivas e moralizantes. Termina por suscitar tédio e mau humor.

Outras vezes, ainda, professores aparentemente bem-intencionados recorrem a discursos hipócritas para convencer os alunos dos seus propósitos de solidariedade. Uma vez desmascarada a sua perfídia, o que fica é um sentimento de mágoa.

Os maus-tratos receberão como resposta o desprezo; as falsas manifestações de afeto serão respondidas com má vontade e rebelião; a desconfiança levará ao surgimento de conspirações.

Ao longo dos anos de trabalho, torna-se cada vez mais evidente que as crianças merecem respeito, confiança e afeto; que é agradável conviver com elas num ambiente de sensações amenas, risadas alegres, esforços cheios de energia, primeiros espantos, alegrias puras e claras. O trabalho torna-se então estimulante, útil e belo.

Há, porém, uma coisa que suscita dúvidas e inquietações.

Por que será que às vezes a criança mais confiável nos decepciona? Por que será que surgem — raramente, é verdade — repentinas explosões de rebeldia coletiva? Talvez os adultos não sejam melhores, mas são mais estáveis, mais seguros, pode-se confiar neles com mais tranquilidade.

Procurei obstinadamente uma resposta e acabei por encontrá-la.

1. Se o educador procura traços de caráter e valores que lhe parecem particularmente preciosos, se deseja amoldar todas as crianças a um padrão único e empurrá-las todas numa mesma direção, ele será levado a impasses: alguns alunos fingirão sujeitar-se aos seus dogmas, outros adotarão sinceramente as suas sugestões — mas por pouco tempo. Quando o verdadeiro rosto da criança se revelar diante de nossos olhos, tanto ela como nós experimentaremos uma dolorosa sensação de derrota. Quanto maior o esforço que a criança faz para assumir uma máscara ou submeter-se à nossa influência, tanto mais tempestuosa será a sua reação. Uma vez desmascaradas as suas reais tendências, ela nada mais tem a perder. Pode-se tirar disso uma importante lição.

2. O educador tem seus critérios de avaliação, o grupo tem outros. Ambos enxergam as riquezas do espírito onde elas se apresentam.

O educador quer esperar que essas qualidades se desenvolvam; já a criança quer saber como aproveitar logo essas riquezas. Será que o privilegiado vai querer repartir com os outros as suas posses, ou vai querer ficar com tudo, egoísta que é, pretensioso, invejoso e avarento? Não quer brincar, nem contar uma história, nem desenhar, nem ajudar os outros, tornar-se útil — a não ser, vez por outra, fazendo grande favor e exigindo agradecimentos. Mas quando se sentir solitário, poderá tentar conquistar a simpatia do grupo através de um gesto generoso. Sua conversão será acolhida com alegria. Aconteceu uma mudança para melhor: ele acabou compreendendo e se corrigindo.

3. Se o grupo sofreu uma decepção, haverá uma reação coletiva. Encontrei uma explicação num livro sobre adestramento de animais, e não tenho por que esconder as minhas fontes. O livro diz que o leão é perigoso não quando está com raiva, e sim quando fica excitado no meio de uma brincadeira e quer continuar. Ora, a multidão tem a força de um leão.

Não basta a psicologia para fornecer todas as soluções; devemos procurá-las também nos livros de medicina, sociologia, etnologia, história, poesia, criminologia, nos breviários e nos manuais de adestramento de animais.

4. Eis mais uma explicação, a mais iluminada de todas. A criança pode se embriagar com oxigênio, assim como o adulto se embriaga com aguardente. Os sintomas são: excitação, inibição dos centros de autocontrole, insensibilidade ao perigo, confusão mental. Seguem-se as reações: sentimento de vergonha, azia, gosto ruim na boca, sentimento de culpa. Minha observação é rigorosamente clínica. O homem mais digno de respeito pode ter fraca resistência à bebida.

Nada de castigos: essa iluminadora embriaguez das crianças é honrosa e comovente. Não é feita para afastar ou discriminar, mas para aproximar e criar alianças.

Costumamos ocultar os nossos defeitos e atos condenáveis. A criança não tem permissão para nos criticar, nem para constatar as nossas fraquezas, os nossos vícios e hábitos ridículos. Fingimos que somos perfeitos. Valendo-nos de graves ameaças, defendemos os segredos do grupo que está no poder, da casta dos iniciados, dos encarregados de uma sagrada tarefa. Só a criança pode ser impunemente desnudada e posta no pelourinho.

Trapaceiros convictos, jogamos contra as crianças com cartas marcadas. Usamos os ases das nossas qualidades adultas para derrotar as fraquezas da sua idade infantil. Damos um jeito de distribuir as cartas de tal modo que tudo que temos de melhor e mais precioso se oponha àquilo que elas têm de pior.

Onde estão os nossos adultos levianos e irresponsáveis, nossos glutões, idiotas, preguiçosos, vagabundos, aventureiros, mentirosos, trapaceiros, alcoólatras e ladrões? Nossas violências e nossos crimes, conhecidos ou dissimulados? Quantas querelas passam em silêncio, quantas armadilhas, invejas, maledicências e chantagens, quantas palavras que ferem, quantos atos que envergonham? Em quantas silenciosas tragédias familiares as crianças acabam sendo as primeiras vítimas, os primeiros mártires?

E ainda ousamos acusá-las e culpá-las?

Ora, a nossa coletividade adulta passou por diversos crivos e filtros. Muita gente foi parar nos túmulos, nas prisões, nos asilos de loucos; muita sujeira escoou-se através dos esgotos da vida.

Exigimos das crianças que respeitem automaticamente os mais velhos e experientes, em vez de os julgarem pelo que valem; com isso, encorajamos um bando de adolescentes inescrupulosos a dominar os menores por meio de importunas persuasões e pressões.

Agressivos e desequilibrados, esses pivetes circulam ao léu, empurrando e machucando os outros, magoando e contaminando. E, como nós também às vezes levamos sobras, o conjunto das crianças acaba sendo coletivamente responsabilizado. Esses casos isolados chocam a opinião pública, marcam com manchas de cores cruas a superfície da vida infantil e determinam a rotina dos procedimentos educacionais: providências sumárias, por mais deprimentes que sejam; atitudes rudes, por mais que machuquem; severidade, que pode se tornar brutal.

(O direito da criança ao respeito)

Não permitimos às crianças que se organizem. Não as levamos a sério, desconfiamos delas, tratamo-las com má vontade, mal tomamos conta delas. Para saber agir direito, precisaríamos de um especialista; mas o especialista é a própria criança.

Será que perdemos a noção de autocrítica a tal ponto que tomamos por afeto as carícias com que atormentamos as crianças? Não compreendemos, então, que ao as apertarmos em nossos braços o que buscamos é nos refugiar nos seus, escondendo o nosso desamparo, procurando fuga e proteção nas nossas horas de dor vadia, de abandono sem rumo? Transferimos a elas a carga de nossos sofrimentos e nostalgias.

Qualquer outra carícia, diferente dessas através das quais buscamos na criança um refúgio e uma fonte de esperança, não passa de uma condenável tentativa de nos descobrirmos por seu intermédio, ou de nos gratificarmos sensorialmente.

"Aperto-te nos meus braços porque estou triste. Dá-me um beijo e te darei o que queres."

Isso é egoísmo, não ternura.

O direito ao respeito

É como se existissem duas vidas. Uma é séria e respeitável; a outra vale menos, é apenas tolerada com indulgência. Costumamos dizer: o futuro homem, o futuro trabalhador, o futuro cidadão. Eles passarão um dia a existir de verdade, sua real trajetória ainda está por começar, só mais tarde virão a ser levados a sério.

Damos licença para que fiquem zanzando por aí, mas sem eles tudo é mais cômodo.

Pois bem: não é verdade. As crianças existem e hão de existir sempre. Não caíram de repente do céu, para uma rápida visitinha. Uma criança não é um vago conhecido, de quem podemos nos desvencilhar, num encontro ao acaso, com um simples alô e um sorriso.

As crianças constituem uma ponderável parcela da humanidade, da população, da nação, do conjunto dos habitantes de uma cidade; são nossos concidadãos, nossos companheiros de todos os dias. Existiram sempre, existem, e continuarão existindo.

Por acaso a vida que levam é uma vida de brincadeira? Não: a infância é um longo e importante período da existência.

Na Antiguidade da Grécia e de Roma, uma lei cruel, mas franca permitia matar uma criança. Na Idade Média os pescadores encontravam nas suas redes cadáveres de bebês afogados nos rios. No século XVII, as crianças maiores eram vendidas aos mendigos, enquanto as menorzinhas eram distribuídas de graça em frente à catedral de Notre-Dame. Isso foi ainda outro dia. E até hoje muitas crianças continuam sendo abandonadas quando começam a incomodar.

Aumenta cada vez mais o número de crianças ilegítimas, largadas, desprezadas, exploradas, maltratadas, violadas. Que fique bem entendido: a lei as protege, mas será que lhes oferece suficientes garantias? Num mundo que evolui, as velhas leis precisam ser revistas. Ficamos ricos. E não são mais os frutos do nosso trabalho que constituem as nossas riquezas. Somos herdeiros, acionistas e coproprietários de uma imensa fortuna. Quantas cidades nos pertencem, quantos prédios, fábricas, minas, hotéis e teatros; quantas mercadorias estão à venda nos mercados, quantos navios existem para o seu transporte, quantos compradores disputam a possibilidade de consumi-las...

Façamos um balanço e depois calculemos que parte do saldo total deve caber à criança, à qual ela faz jus na partilha, não a título de favor nem de esmola. Verifiquemos honestamente qual é a parcela separada em benefício do povo infantil, desse setor da nação, dessa classe reduzida à servidão. Quanto vale a herança, e como deve ser dividida. Tutores desonestos que somos, será que não deserdamos as crianças, não nos apossamos do que lhes é devido?

O espaço que lhes é dado para viver é estreito, abafado, pobre, monótono e cheio de rigores.

Introduzimos a escolaridade obrigatória, um trabalho intelectual compulsório, registros de fiscalização, censo escolar. Jogamos nos ombros da criança a dura tarefa de conciliar interesses contraditórios de duas autoridades paralelas.

Por um lado, a escola faz as suas exigências, que os pais atendem com má vontade. Os conflitos entre a família e a escola afetam a criança. Os pais solidarizam-se com a escola quando ela lança acusações, nem sempre justas, contra a criança; mas rejeitam os deveres que a escola procura lhes impor.

O serviço militar é também um período de preparação para o dia em que o soldado será levado a agir; no entanto, o Estado provê todas as suas necessidades: teto e alimentação, uniforme, fuzil e soldo. Tudo isso lhe é fornecido porque é de direito, e não a título de benevolência. Já a criança, enquanto se submete à obrigação da escolaridade compulsória, precisa pedir esmola aos seus pais ou à comunidade.

(O direito da criança ao respeito)

Os legisladores de Genebra* confundiram as noções do dever e do direito; o tom da sua declaração é o de um pedido, não de uma exigência; um apelo à boa vontade, à compreensão.

A escola confere um ritmo às horas, aos dias, aos anos. Seus funcionários devem satisfazer as demandas atuais dos jovens cidadãos. A criança é um ser dotado de inteligência, conhece bem as necessidades, dificuldades e impasses da sua vida. O que funciona não são ordens despóticas, rigores impostos e controle desconfiado, mas um entendimento realizado com tato, confiança na experiência, cooperação e convívio.

As crianças não são tolas; a proporção de imbecis entre elas não é maior do que entre os adultos. Vestindo a fantasia da idade madura, quantas vezes impomos normas impensadas, inexequíveis, sem reflexão crítica? A criança, dotada de razão, chega a ficar perplexa diante de tanta bobagem agressiva, rançosa, arrogante.

A criança tem um futuro, mas tem também um passado, feito de acontecimentos marcantes, de lembranças, de muitas horas de meditação solitária e profunda. Assim como nós, ela sabe lembrar e esquecer, apreciar e desprezar, desenvolver um raciocínio lógico — e também errar, quando lhe falta conhecimento. É capaz de, equilibradamente, confiar e duvidar.

Ela é como um estrangeiro numa cidade desconhecida, que não entende a língua, não sabe a mão das ruas, nem as leis, nem os hábitos. Às vezes quer se virar sozinho; ao encontrar dificuldades, pede informação e conselho. Precisa de um guia que responda educadamente às suas perguntas.

Vamos respeitar a sua ignorância!

---

* Korczak refere-se à Declaração dos Direitos da Criança, votada pela União Internacional da Ajuda à Criança em 23 de fevereiro de 1923 e ratificada em 26 de setembro de 1923, por ocasião da 5ª Sessão da Liga das Nações em Genebra. [N. T.]

Um aventureiro, um mal-intencionado, um amigo da onça explorarão o desconhecimento do visitante estrangeiro, lhe darão uma resposta incompreensível, de propósito o induzirão em erro. O homem grosseiro resmungará agressivamente. Nós, da mesma forma, machucamos a criança com as nossas repreensões, censuras e castigos, em vez de lhe dar amavelmente as informações de que precisa.

Como seria pobre o conhecimento da criança se ela não fosse buscar essas informações junto aos seus colegas, ou roubando palavras esparsas, ouvindo às escondidas conversas dos adultos.

Respeitemos o labor da sua investigação!

Respeitemos o insucesso e as lágrimas!

Uma meia rasgada, um joelho arranhado, um copo quebrado, um dedo ferido, um galo na testa — cada acidente resulta em dor. Uma mancha de tinta no caderno é um pequeno infortúnio, mas significa insucesso e aborrecimento.

"Quando é papai quem derrama o chá, mamãe diz que não faz mal; quando sou eu, levo uma bronca."

Pouco familiarizada com a dor, a discriminação e a injustiça, a criança sofre e chora mais facilmente do que o adulto. Mas as suas lágrimas suscitam chacotas, parecem desprovidas de gravidade, chegam a ser irritantes.

"Chorão, rabugento, resmungão, outra vez abriu o berreiro, mulherzinha; homem não chora."

Eis algumas expressões que os adultos incluem em seu vocabulário quando se referem às crianças.

As lágrimas que parecem ser fruto de teimosia ou manha representam na verdade sensações de impotência e revolta, um protesto desesperado, um grito de socorro, uma queixa contra a proteção negligente, uma manifestação de inconformismo perante imposições e constrangimentos descabidos, um sintoma de mal-estar; em todos os casos, um sinal de sofrimento.

Respeito à propriedade da criança, ao seu orçamento! Ela participa dolorosamente das preocupações materiais da família, ressente-se das necessidades, compara sua penúria com a situação de um colega mais abastado; pesam-lhe as amargas moedas que subtrai do orçamento familiar. Não gosta de constituir-se num encargo.

Mas o que fazer quando se precisa de um casaco, de um livro, de uma entrada de cinema? De um caderno novo, quando o outro acabou; de um lápis, quando o outro foi perdido ou roubado? O que fazer quando se tem vontade de dar um presente a uma pessoa querida, ou de comprar um doce, ou de emprestar dinheiro ao colega? Existem tantas necessidades, desejos e tentações, e tão poucos recursos...

O fato de que entre os delitos dos pequenos o furto ocupa o primeiro lugar deveria servir de advertência. É uma vingança pelo desrespeito ao orçamento da criança; nenhum castigo vai adiantar.

A propriedade da criança, que ela acumulou mendigando junto aos adultos, não se reduz a míseras bugigangas; trata-se de instrumentos de trabalho, de símbolos de esperança, de lembranças.

As angústias e preocupações do dia a dia, as amargas desilusões da infância e da juventude — nada disso é imaginário; tudo é real e importante.

A criança cresce. Sua vida torna-se mais intensa, sua respiração mais rápida, seu pulso mais forte; ela está se construindo, vai tomando corpo, deitando raízes cada vez mais fundas na vida. Cresce de noite e de dia, no sono e na vigília, quando está alegre ou triste, quando faz bobagens e quando, arrependida, vem nos pedir perdão.

O crescimento atravessa primaveras de intensidade redobrada e outonos de calmaria. Às vezes os ossos cresceram muito depressa e o coração tem dificuldade de acompanhar, aparecem carências e excessos, a química das glândulas que se atrofiam ou são ativadas sofre modificações, tudo motiva inquietações e surpresas.

Ora sente o impulso de correr, encher os pulmoes de ar, enfrentar desafios, carregar pesos, conquistar vitórias; ora quer esconder-se, sonhar, alimentar lembranças e saudades. Ora precisa de duros esforços, ora de paz, conforto e aconchego. Desejos ardentes alternam-se com momentos de desânimo.

Manifestam-se sensações de cansaço, dor, indisposição; sente calor, frio, sono, fome, sede, mal-estar. Não se trata de caprichos nem de desculpas esfarrapadas.

Respeito aos segredos e às hesitações desse duro trabalho que é o crescimento!

Respeito ao tempo que passa, ao dia de hoje! Que soluções a criança saberá inventar amanhã, se hoje não a deixamos viver uma vida consciente e responsável?

Não humilhar, não maltratar, não torná-la escrava do dia seguinte, não apagar os seus entusiasmos, não apressá-la, não pressionar.

Respeito a cada momento que passa, que vai morrer e não voltará mais; se o ferirmos vai sangrar, se o assassinarmos virá de noite assombrar os nossos pesadelos.

Deixemos que a criança sorva, confiante e animada, a alegria da manhã. É o que ela quer. Ouvir uma história que alguém lhe conta, conversar com o cachorro, jogar uma pelada, examinar de perto uma figurinha, copiar demoradamente uma letra — nada disso lhe parece perda de tempo, ela faz tudo com afeto. E tem razão.

Temos um medo ingênuo da morte, sem nos darmos conta de que a vida é um cortejo de momentos que morrem e renascem. Um ano é uma tentativa de adaptar a eternidade ao uso comum. Um momento dura o tempo que dura um sorriso ou um suspiro. A mãe deseja educar seu filho; não terá tempo de fazê-lo: a cada momento é uma mulher diferente que se despede de um ser humano e saúda outro diferente.

Classificamos erroneamente os anos como contendo menores ou maiores graus de maturidade. Não existe um hoje imaturo, nem uma hierarquia de idades, nem níveis mais altos ou mais baixos de dor e alegria, esperança e decepção.

Quando estou brincando ou conversando com uma criança, interpenetram-se dois momentos igualmente maduros da nossa vida. Quando estou no meio de um grupo de crianças, é a uma só delas que saúdo sempre com o olhar e o sorriso, é dela que me despeço. Quan-

(O direito da criança ao respeito)

do reclamo com indignação, eis que o meu momento, mau e raivoso, violenta e envenena o seu momento vital, importante e maduro.

    Renunciar a hoje em nome de amanhã? O que esse futuro nos prenuncia de tão sedutor assim? Nós o pintamos com cores exageradamente sombrias; e eis que chega o dia em que nossas previsões se concretizam: o telhado desaba, porque a construção das fundações foi feita com negligência.

O direito da criança de ser o que é

Indagamos com aflição:
— O que vai ser dele quando crescer?

Desejamos que as crianças se tornem melhores do que nós. Sonhamos com um ser humano futuro que seja perfeito.

Deveríamos nos precaver, vigilantes, contra as nossas mentiras, acostumar-nos a desmascarar os nossos egoísmos disfarçados em sonoros lugares-comuns. Nossa aparente dedicação não passa de um grosseiro truque.

Chegamos a um acordo que prevê um perdão antecipado dos nossos erros e uma dispensa da obrigação de nos tornarmos melhores. Fomos mal-educados. Já é tarde demais. Nossos vícios e defeitos já estão por demais enraizados. Não damos às crianças licença para nos criticar, nem exercemos controle sobre os nossos atos.

E já que podemos contar com o nosso próprio perdão, renunciamos a lutar contra nós mesmos. Jogamos a responsabilidade dessa luta nos ombros das crianças.

O educador se apressa em adotar os privilégios dos adultos: em vez de vigiar a si mesmo, vigia as crianças; registra minuciosamente as falhas delas e esquece as próprias.

A criança é culpada de tudo aquilo que perturba a nossa paz, a nossa ambição, o nosso conforto. Ela nos causa incômodo, nos irrita, ameaça os nossos hábitos, apodera-se do nosso tempo, dos nossos pensamentos. Tudo que ela faz de errado só pode ser mal-intencionado.

A criança não sabe: não ouviu bem, não entendeu ou entendeu mal, equivocou-se, não conseguiu, não é capaz, mas a culpa é dela.

Seus insucessos e seu mal-estar, os momentos difíceis da sua vida, tudo isso resulta das suas más intenções.

Qualquer trabalho executado com excessiva ou com insuficiente rapidez, com insatisfatória eficiência, só pode ser resultado de negligência, preguiça, distração, falta de empenho.

Não cumpriu uma exigência injusta ou inexequível? Culpa sua. Suscitou uma suspeita maldosa e humilhante? Mais culpa. A criança é culpada de ter alimentado os nossos receios, as nossas dúvidas, até mesmo de ter tentado melhorar:

— Está vendo? Quando você quer, consegue.

Damos sempre um jeito de arranjar algo que justifique uma recriminação; insaciáveis, pedimos sempre mais.

E nós, por acaso sabemos agir com tato, evitar atritos desnecessários, facilitar o convívio? Não somos nós os verdadeiros teimosos, carrancudos, implicantes, caprichosos?

A criança chama a nossa atenção quando atrapalha e faz bagunça. São estes os momentos que percebemos e guardamos na lembrança. Não a vemos quando está tranquila, séria, concentrada. Menosprezamos seus momentos sagrados de conversa consigo mesma, com o mundo, com Deus. Obrigada a disfarçar seus desejos e impulsos, por medo de observações irônicas ou rudes, acaba dissimulando também sua ânsia de entendimento, sua vontade de melhorar.

Esconde docilmente suas agudas percepções, seus espantos, suas inquietações, lamentos, raivas e revoltas. Já que queremos vê-la dando pulinhos e batendo palmas, adota para uso externo o sorridente rosto de um pequeno bufão.

As ações maldosas de crianças perversas recebem ruidosa divulgação; já as notícias sobre coisas boas são abafadas, ainda que as coisas boas sejam mil vezes mais frequentes. O bem é forte e resiste para sempre. Não é verdade que seja mais fácil estragar algo do que consertá-lo.

Exercitamos nossa atenção e criatividade descobrindo o mal, detectando-o, cheirando-o, seguindo suas pistas, apanhando-o em flagrante delito, surpreendendo-o nas nossas sombrias previsões e suspeitas injustas.

(Alguém teria, por acaso, a ideia de vigiar um grupo de velhos, para impedi-los de jogar futebol? E que mania detestável essa de sempre suspeitar que as crianças estão se masturbando?)

Eis que mais uma vez uma criança bateu a porta com mais barulho do que devia, eis que mais uma cama não foi tão bem-feita quanto devia, eis que mais um casaco foi esquecido não se sabe onde, eis que mais um caderno foi inutilizado com uma mancha de tinta. Quando não fulminamos tais distrações com nossas recriminações, pelo menos ficamos resmungando, em vez de nos alegrarmos por se tratar de casos isolados.

Suas queixas e brigas não nos escapam, mas não vemos aquilo que existe com muita maior frequência: o perdão, a concessão, a ajuda, a colaboração, a vontade de aprender, as boas influências — tudo isso exercido com beleza e profundidade. Até mesmo as crianças implicantes e agressivas não se limitam a ser motivo de choro: também elas espalham sorrisos em torno de si.

No fundo, o que desejaríamos é que em cada 10 mil segundos que compõem uma de nossas aulas (façam o cálculo para conferir) não exista um único segundo que nos ofereça alguma dificuldade.

Como se explica que uma mesma criança possa parecer má a determinado educador, e boa a outro? Exigimos um único padrão de virtude, que esteja de acordo com nossas preferências e prioridades.

Existe na História um só exemplo de semelhante tirania? A raça de Nero parece ter proliferado...

A contrapartida da saúde é a enfermidade; se existem méritos e valores construtivos, existem também defeitos e carências.

Ao lado de umas poucas crianças nascidas sob o signo da festa e da alegria, bem-dispostas e confiantes, cuja vida é um conto de fadas e uma bandeira exemplar, temos o enorme conjunto de crianças que desde cedo aprendem as sombrias verdades do mundo através de palavras rudes e chocantes.

De um lado, as crianças vítimas da miséria, corrompidas pela vulgaridade e pela ignorância; do outro, as crianças vítimas do excesso, estragadas por uma proteção paternalista e por requintes tolamente sofisticados.

Crianças sujas, desconfiadas, com medo dos adultos; mas não intrinsecamente más.

A criança segue modelos recebidos não só no seu lar, mas também no saguão do edifício, nos corredores, no campo de pelada, na rua. Pronuncia palavras usadas no seu ambiente, externa opiniões e repete gestos ali adotados, segue exemplos. Não existe criança em estado de pureza absoluta; todas estão, em maior ou menor grau, conspurcadas.

Mas com que rapidez elas conseguem libertar-se, purificar-se! Manchas como essas não devem ser tratadas com remédios, como uma doença, e sim lavadas, simplesmente. A criança ajuda como pode, contente por ter se reencontrado. Esperou com ansiedade pela hora do banho; sorri para você e para si mesma.

Qualquer educador conhece de cor e salteado esses ingênuos triunfos dignos de velhos contos de fadas; eles podem levar alguns moralistas desprovidos de senso crítico a conclusões ilusórias sobre uma pretensa facilidade da tarefa. O incompetente exultará com um acontecimento desse tipo, o ambicioso atribuirá todo mérito a si mesmo, o impaciente ficará irritado constatando que as coisas nem sempre se passam desse modo. Uns tentarão alcançar resultados semelhantes reforçando as doses de persuasão, outros, multiplicando os processos repressivos.

Ao lado das crianças apenas conspurcadas, encontramos outras, machucadas e feridas. Existem ferimentos que cicatrizam sozinhos, apenas com um bom curativo, e não deixam vestígios. Mas outros exigem demorados cuidados e deixam doloridas cicatrizes, sujeitas a infecções. E há furúnculos e tumores que só desaparecem se forem tratados com muita paciência e cuidado.

"O corpo é capaz de sarar", afirma um dito popular. Gostaríamos de acrescentar: a alma também.

(*O direito da criança ao respeito*)

Quantos arranhões, quantas doenças contagiosas encontramos numa escola ou num internato; quantas tentações, quantos sussurros conspiradores. Mas o seu efeito é fugaz e superficial. Por que haveriam de surgir perigosas epidemias num estabelecimento que tem um ambiente sadio e cujo ar é rico em luz e oxigênio?

Como é sábio, como é milagroso o lento processo de recuperação da saúde! Como são admiráveis os mistérios contidos no sangue, na seiva, nas células! Quando uma de suas funções se acha perturbada ou foge de seu controle, o organismo logo se mobiliza para recuperar o equilíbrio e mostrar-se à altura das suas tarefas. Quantos milagres há no crescimento de uma planta e de um homem, no coração, no cérebro, na respiração! Basta uma pequena emoção, um esforço qualquer, e eis que o coração se põe a bater com mais força, o pulso torna-se mais ativo.

O mesmo poder, a mesma resistência caracterizam a alma infantil. Nela se manifestam o equilíbrio moral e uma consciência vigilante. Não é verdade que as crianças sejam mais sujeitas à contaminação do que os adultos.

A inclusão da pedologia* nos currículos das escolas foi uma medida acertada, embora infelizmente tardia. Sem entender a harmonia do corpo, não se pode respeitar à altura os mistérios do aperfeiçoamento.

Uma conceituação grosseira joga num mesmo saco, sem distinção, as crianças sãs e puras (mas julgadas problemáticas, porque agitadas, ambiciosas e dotadas de espírito crítico) junto com outras, rancorosas, mal-humoradas, desconfiadas, levianas, corrompidas, que não resistiram à tentação de seguir docilmente exemplos nefastos. Uma avaliação imatura, negligente e superficial as mistura todas e as confunde com alguns raros casos de real perversidade ou vício.

---

* Estudo natural e integral da criança, sob os aspectos biológico, antropológico e psicológico (*Pequeno dicionário brasileiro da língua portuguesa*, de Aurélio Buarque de Holanda). [N. E.]

(Nós, os adultos, fomos não só capazes de tornar inofensivos os enjeitados do destino, mas também de explorar engenhosamente o trabalho dos deserdados.) As crianças saudáveis, obrigadas a conviver com estes últimos casos, padecem duplamente: são lesadas e levadas para o caminho do delito. E as nossas acusações englobam levianamente o conjunto da população infantil, ao qual atribuímos uma responsabilidade coletiva.

— Vejam só como eles são, de que são capazes.

Talvez seja esta a pior das injustiças.

Os filhos de pais alcoólatras, violentos, enlouquecidos. Seus delitos não obedecem a ordens vindas de fora, mas de dentro. É um momento sombrio, este em que a criança percebe que é diferente, marcada, condenada a dificuldades especiais; que será, em breve, alvo de maldições e segregações. É então que ela decide, pela primeira vez, lutar contra as forças que a impulsionam a agir mal. Ela trava um sangrento combate para conquistar aquilo que os outros receberam de graça, e que lhes parece fácil, banal e fútil: as claras manhãs de equilíbrio emocional. Ela busca socorro; se lhe inspirarmos confiança, será a primeira a nos pedir, a nos exigir: "Salvem-me!" Vai confiar-nos o seu segredo: quer se modificar de uma vez por todas, imediatamente, aproveitando o impulso do esforço.

Em vez de refrear prudentemente o seu ímpeto impensado e fazer-lhe pesar melhor o momento de tão graves decisões, incitamo-la desastradamente, apressamos as suas ações. Ela quer se libertar, e nós procuramos mantê-la amarrada; ela quer correr solta, nós colocamos armadilhas no seu caminho. Quer agir abertamente, com sinceridade, e nós lhe ensinamos a dissimulação. Dá-nos de presente um longo dia de bom comportamento, e por causa de um único momento infeliz nós a rejeitamos. Será que valeu a pena?

Uma criança que fazia xixi na cama todas as noites melhorou bastante, depois outra vez piorou um pouco; não faz mal. Outra, epilética, acusa agora espaços maiores entre as suas crises. A criança tuberculosa está tossindo menos, sua febre baixou. Não chegou a melhorar ainda, mas também não piorou. O médico pode considerar isso uma promessa de cura. Nesses assuntos é impossível forçar o que quer que seja, não se pode pressionar.

Essas crianças encontraram-se frente a frente com o educador: estão desesperadas, revoltadas, cheias de desprezo em relação a uma virtude por demais servil, submissa. Conservam, talvez, um último resto de santidade: a rejeição da hipocrisia. E eis que nos obstinamos em destruir, extirpar esse vestígio de santidade. É um crime sangrento que estamos cometendo. Lançamos mão da fome e da tortura para impor o nosso poder, para reprimir não propriamente a revolta, mas as suas manifestações; atiçamos o fogo do seu ódio contra os subterfúgios e a hipocrisia.

As crianças não abrem mão dos seus planos de vingança; adiam-nos para mais tarde, para uma melhor oportunidade. Se acreditam ainda na bondade, sepultarão essa sua nostalgia debaixo de absoluto segredo.

— Por que me deixaram nascer? Quem lhes pediu que me dessem essa vida de cão?

Invoco a mais sagrada iniciação, a iluminação mais secreta e difícil. Para enfrentar pequenas falhas e transgressões, basta uma compreensão paciente e amistosa; já os jovens infratores precisam mesmo é de amor. Sua irada revolta é justa. Há de se rejeitar a virtude fácil, concluir um pacto com o garoto solitário sobre o qual caiu a maldição de um delito. Se não lhe dermos agora a flor de um sorriso, quando ele chegará a recebê-la?

Nos estabelecimentos de recuperação de crianças e jovens em situação de vulnerabilidade reina a inquisição, a tortura dos castigos medievais, a solidária e obstinada atividade de vingança. Vocês não estão vendo que as melhores crianças sentem pena daquelas que são consideradas as piores? De que é que elas são culpadas?

Num passado não muito remoto, os médicos, humildes e dóceis, davam aos doentes xaropes nauseabundos e misturas amargas, os amarravam nos casos de febre alta, lhes aplicavam sangrias e os deixavam esfomeados nessas antecâmaras do cemitério que eram os hospitais de então. Agradavam os poderosos, tratavam rudemente os pobres. Até o dia em que os médicos começaram a fazer exigências.

A partir desse dia, eles conquistaram para as crianças o espaço, o ar livre e o sol; da mesma forma como foi — para a nossa vergonha — um general* quem deu às crianças o direito ao movimento, às aventuras cheias de alegria, o prazer de ser útil aos outros, a possibilidade de levar uma vida honesta num acampamento, conversando junto à fogueira, debaixo do céu estrelado.

E nós, os educadores, que papel nos cabe desempenhar, qual é a nossa área de atuação?

O educador é um zelador que vigia os muros e os móveis, garante que haja silêncio na área do recreio, que os ouvidos e o chão estejam bem limpos; é o pastor que toma conta do gado, impedindo que invada terrenos alheios e atrapalhe o trabalho ou o despreocupado lazer dos adultos; é o contador que contabiliza os calções rasgados e os sapatos estragados, além de determinar as parcas doses de uma alimentação indigesta. É o guardião dos privilégios da população adulta, e o preguiçoso executor dos seus incompetentes caprichos.

A escola: um pobre comércio de medos e ameaças, butique de bugigangas morais, botequim onde é servida uma ciência desnaturada, que intimida, confunde e entorpece em vez de despertar, animar e alegrar. Agentes de uma virtude barata, temos de impor às crianças respeitos e humildades, e enternecer os adultos cultivando as suas mornas emoções. Em troca de um salário vil, querem que construamos um futuro sólido e que façamos trapaça, ocultando o fato de que são as crianças que na verdade detêm a superioridade numérica, a vontade, a força e a lei.

O médico arrancou a criança dos braços da morte; cabe ao educador permitir que ela viva e conquiste o direito de ser criança.

---

* Referência ao general inglês Robert Smith Stephenson Baden-Powell (1857-1941), criador do escotismo. [N. T.]

(O direito da criança ao respeito)

Os cientistas declaram que o adulto se deixa guiar por motivações e a criança por impulsos; que o adulto tem um comportamento lógico, enquanto a criança nada num mar de ilusórias fantasias; que o adulto tem caráter, um perfil moral devidamente estabelecido, enquanto a criança se perde no caos dos instintos e dos desejos. Abordam a criança não como uma estrutura psíquica diferente, mas sim inferior, mais fraca e pobre. Como se todos os adultos fossem sábios eruditos.

E onde foi parar toda a bagunça adulta, toda a pequenez dos nossos preconceitos e hábitos, todos os comportamentos levianos de tantos pais e tantas mães, toda a incomensurável irresponsabilidade da vida adulta? A nossa negligência, preguiça, tola teimosia, imprevidência, loucura, os nossos excessos em estado de embriaguez?

Em confronto com tudo isso, como a criança parece séria, razoável, equilibrada! Como sabe cumprir seus compromissos, de quanta experiência dispõe na sua área específica, como é rico e correto o seu acervo de julgamentos e avaliações, como sabe moderar as suas exigências, quanta sutileza está presente nos seus sentimentos, como é infalível a sua noção de justiça.

Será que qualquer adulto é capaz de vencer uma criança numa partida de xadrez?

Devemos exigir respeito para os seus olhos cheios de luz, a sua face lisa, os seus juvenis esforços, a sua capacidade de confiar. Em que sentido seria mais venerável o nosso olhar apagado, a nossa testa enrugada, o nosso cabelo branco e áspero, a nossa resignação encurvada?

O sol se levanta e o sol se põe. As preces matinais e as vespertinas têm o mesmo valor. O pulmão inspira e expira, o coração tem sístoles e diástoles.

O soldado está coberto de poeira quando parte para o campo de batalha, e também quando de lá retorna.

Como uma nova onda que se levanta, uma nova geração está surgindo. Vem vindo, com todas as suas qualidades e defeitos. Vamos criar condições para que eles cresçam cada vez melhores. Não vamos ganhar o confronto com essa espécie de túmulo que é uma hereditariedade doentia; não vamos ordenar às ervas daninhas que se transformem em trigo.

Não somos milagreiros, não queremos ser charlatães. Abrimos mão da ilusória nostalgia de uma infância ideal.

Exigimos que se suprima a fome, o frio, a umidade, a falta de ar e de espaço, a promiscuidade.

São vocês que geram crianças doentes e estropiadas, que preparam o terreno para as revoltas e as epidemias; vocês e a sua leviandade, a sua incompreensão, a sua desordem.

Tomem cuidado: a vida contemporânea está sendo modelada por um bruto feroz, o *Homo rapax**; é ele quem determina os métodos de ação. As concessões que ele faz aos fracos, as homenagens que presta aos velhos, a emancipação que permite às mulheres, a benevolência que ostenta em relação às crianças não passam de mentiras e embustes. O verdadeiro sentimento erra pelo mundo, desamparado, como a gata borralheira. Ora, os príncipes encantados dos sentimentos são justamente as crianças, esses poetas e pensadores.

Respeito, senão humildade, diante da clara, da cândida, da imaculada, da santa infância.

---

* *Rapax* aqui tem o sentido de voraz, cúpido, predatório. [N. E.]

Os direitos da criança

Dalmo de Abreu Dallari

Para:

Pedro
Guigui
Bruno
Maria Paula
Mônica
Reco

Que me ensinaram o que está neste livro.

Para:
Mabi

Que me ajudou na atualização.

Para o Paulo
Que enriqueceu extraordinariamente minha vida e minha experiência.

Para os netos de amanhã
Que aguardam na eternidade o momento do seu testemunho.

Direito de ser

I

Toda criança é um testemunho da eternidade, uma certeza da renovação da vida, a portadora de um mistério. A criança é sempre um recomeço da humanidade, uma nova partida rumo ao infinito, uma parcela do espírito humano que poderá ser o repositório de uma nova mensagem ou o nascedouro de um novo tempo para todos. Toda criança é um ser humano fisicamente frágil, mas com o privilégio de ser o começo da vida, incapaz de se autoproteger e dependente dos adultos para revelar suas potencialidades, mas por isso mesmo merecedora do maior respeito.

A criança é um ser humano, e já nasceu como pessoa. É uma pessoa que depende de outras para se revelar, mas que possivelmente abrirá para outras o caminho da vida. Toda criança nasce com o direito de ser. É erro muito grave, que ofende o seu direito de ser, concebê-la apenas como um projeto de pessoa, como alguma coisa que no futuro poderá adquirir a dignidade de um ser humano. É preciso reconhecer e não esquecer em momento algum que, pelo simples fato de existir, a criança já é uma pessoa e, por essa razão, merecedora do respeito que é devido exatamente na mesma medida a todas as pessoas.

É necessário, especialmente, que a criança mais desprotegida, por não ter família, por ter nascido pobre, por ter deficiência física ou por ser vítima de alguma discriminação social tenha respeitado, em condições de absoluta igualdade com todas as demais, o seu direito de ser.

É uma agressão à humanidade tratar qualquer criança como um ser inferior, como um erro da natureza ou o produto de uma falha humana, como coisa indesejável e incômoda não merecedora de respeito. É suprema indignidade praticar qualquer espécie de violência contra uma criança, seja a violência física, a violência psicológica ou a violência moral contida em todas as formas de discriminação. Toda criança é uma criança: isso deve bastar para qualquer pessoa digna.

A criança tem o direito de ser pessoa e de ser tratada como tal. Isso quer dizer que ela é matéria e espírito e só poderá realizar-se integralmente se forem atendidas suas necessidades materiais e espirituais.

As exigências do corpo se fazem sentir antes mesmo do nascimento da criança, pois já no ventre da mãe ela é uma pessoa e precisa receber o alimento adequado e suficiente para que nasça com o organismo completo e sadio. E depois do nascimento suas necessidades materiais são maiores, pois durante muito tempo não conseguirá obter sozinha seu alimento. Além disso, exposta ao mundo e à natureza, ficará sujeita a agressões das quais estava protegida pelo escudo macio e quente do ventre materno.

Por isso, tem necessidade também de uma casa, pois, mais do que um adulto, sofre os efeitos do frio, do calor excessivo, da chuva, do vento, e seu organismo ainda frágil reclama o repouso depois de algumas horas de atividade. E necessita de roupas que a protejam e de alguém que cuide de sua saúde, para que possa sobreviver aos males que venham a atacar seu físico ainda muito fraco e sensível. São necessidades óbvias, e só os cegos morais não conseguem ver que são comuns a *todas as crianças*, e não apenas necessidades das "suas" crianças.

É preciso não ignorar também que, como ser humano, toda criança já nasce dotada de inteligência, de vontade e de sensibilidade. Esses atributos, assim como o próprio corpo, vão se desenvolver com o passar do tempo, e por meio deles ela irá enriquecer e revelar seu mundo interior, seu lado espiritual, sua fonte de ideias, de crenças e de afetos.

O desenvolvimento da inteligência, da vontade e da sensibilidade é que irá definir a forma de integração da criança na comunhão humana. Mais tarde, a sociedade exigirá que ela seja um adulto bem integrado, capaz de usar de modo benéfico, favorável às outras pessoas, todos esses atributos, mas é preciso ter em conta que nos primeiros anos, que são o momento decisivo de seu desenvolvimento, tais atributos dependem muito mais dos outros do que da própria criança. Por isso é absolutamente necessário que desde o seu primeiro instante de vida ela seja reconhecida como pessoa e tratada como tal, pois se tiver condições favoráveis poderá desenvolver todas as suas potencialidades e contribuir para o bem-estar e o aperfeiçoamento da humanidade.

II

Reconhecer alguém como pessoa significa não tratá-la como objeto ou como um ser irracional. A criança está muito sujeita a esses tratamentos, recebendo o mesmo carinho que se dá a uma coisa de grande estimação ou a um animalzinho muito querido. Assim, é preciso não confundir a criança com uma boneca preciosa, com a qual se brinca quando se tem vontade e do modo que se acha mais engraçado, com a preocupação de que outros também reconheçam que ela é uma coisa bonitinha. Nunca se deve esquecer que os beijos e afagos exagerados, as roupas inadequadas, o excesso de solicitações para um gesto ou um sorriso, a exibição da criança em momentos inoportunos podem estar agredindo sua sensibilidade e impedindo seu livre desenvolvimento como pessoa.

Não é raro que o adulto que se diverte com a criança, querendo que ela se mostre engraçadinha e inteligente para uma visita, queira logo em seguida que ela fique quieta e não perturbe, porque a hora da brincadeira terminou. É o mesmo que se faz com o caozinho amestrado cujas habilidades se quer exibir para um amigo. Se no cãozinho isso já é uma violência, com mais razão esse comportamento deve ser evitado em relação à criança, que é um ser humano extremamente sensível e poderá ter seu desenvolvimento seriamente prejudicado se forçada a agir sem espontaneidade e de modo contrário à sua natureza.

Gostar da criança, tratá-la com carinho, colher a beleza de seus primeiros sorrisos ou de seus gestos mais graciosos, achar engraçadas suas atitudes de descobrimento do mundo, tudo isso é bom para o adulto e poderá ser bom também para a criança, desde que não se esqueça de que ela é uma pessoa humana e que tem exigências como tal. É preciso deixá-la livre para praticar o gesto, podendo-se até dar-lhe um estímulo moderado, mas sem cansá-la nem perder de vista que ela não deverá ser forçada a mudar bruscamente de comportamento para atender às conveniências dos adultos.

A criança não deve ser usada para satisfazer a vaidade, as fantasias ou os interesses dos pais. É uma violência contra a criança vesti-la de modo que ela fique exposta ao ridículo, forçá-la a imitar os gestos e trejeitos de atores ou atrizes da moda, empurrá-la para um exibicionismo que lhe dê evidência fácil sem considerar os efeitos futuros, usá-la para atividades que acarretem vantagens materiais para os pais ou ponham estes em evidência sem levar em conta que tudo que a criança fizer influirá na formação e no desenvolvimento de sua personalidade.

III

Na vida moderna tem ocorrido a valorização excessiva dos fatores econômicos e, paralelamente, a busca de racionalização das ações humanas, o que, de certo modo, é ainda uma procura de melhor aproveitamento dos recursos materiais. A consequência disso foi a materialização da vida social, a "coisificação" da pessoa humana, com reflexos imediatos e graves no tratamento dispensado à criança e nos rumos de seu desenvolvimento.

Quando se estuda "cientificamente" a criança, procura-se eliminar tudo que não pode ser visto, medido ou pesado, uma vez que o tratamento puramente racional se apoia na quantificação e, além disso, são desprezadas características individuais, pois as regras científicas são produto de generalizações. A criança é analisada com o mesmo cuidado que se dedica a um aparelho de precisão, apontando-se

(O direito da criança ao respeito)

como resultado ideal que ela se comporte como um mecanismo bem construído. E, quando se vai além dos aspectos físicos, é para tratar a criança como "modelo psicológico", considerando-se de alta conveniência e cientificamente avançado enquadrá-la num modelo e passar a cuidá-la segundo as regras estabelecidas para esse tipo. Não há lugar para os fatores afetivos, para a individualidade da criança e para as condições sociais que a cercam. E assim ela deixa de ser respeitada como pessoa humana.

Na melhor das hipóteses, essa criança é enquadrada num modelo considerado normal e, embora seja forçada a adotar um padrão de comportamento muitas vezes contrário aos seus desejos, é vista como coisa de boa qualidade. Mais grave, agressivo e desumano é o enquadramento de uma criança num modelo classificado como anormal, o que se faz com muita frequência e com imperdoável leviandade. A partir daí, e provavelmente para o resto da vida, aquela pessoa carregará um rótulo negativo, estará desvalorizada em seu próprio julgamento, bem como na avaliação de sua família e de toda a sociedade, sofrerá muitas restrições e terá fechados diversos caminhos, tudo porque não agiu ou reagiu segundo os padrões convencionados para uma criança "normal".

Outra forma contemporânea de "coisificação" da criança é sua redução a simples número em quadros estatísticos, sem levar em conta que esses números são seres humanos dotados de inteligência, de vontade e de sensibilidade — nem que haja maior interesse por suas histórias pessoais. Tantas crianças nasceram, tantas morreram e outras tantas morrerão antes de completar um ano de idade. Há tantas vagas nas escolas e a manutenção de cada criança custará tal quantia.

Não importa *como* nascem e vivem essas crianças; também não importa saber *o que* deverá ser feito imediatamente para que elas possam sobreviver, nem *quantas* delas irão efetivamente à escola. O número das que nascem e sobrevivem garante a reposição da mão de obra e do eleitorado submisso. E é até bom que muitas nem cheguem à escola ou tenham escolaridade mínima, porque assim não aumenta a competição pelos melhores lugares na sociedade e fica assegurada a existência de um contingente de trabalhadores para a execução dos trabalhos mais sujos, pesados e degradantes de que a sociedade necessita. Por isso há crianças que já nascem destinadas a um tratamento subumano e nunca chegam a conquistar a dignidade de pessoas.

Um exemplo do tratamento discriminatório entre as crianças é o uso de palavras diferentes para designar as pobres ou as ricas, como se faz hoje no Brasil: quem nasce numa família da classe média ou das classes mais abastadas é criança; quem nasce numa família pobre é "menor".

Na linguagem oficial, bem como na propaganda comercial, fala-se em "semana da criança", proteção da criança, programas para crianças, sempre se referindo às que gozam de melhor situação econômica e social. E nos próprios documentos oficiais, assim como na linguagem de entidades e pessoas, muitas vezes bem-intencionadas, mas envolvidas pelo sistema circundante, fala-se em "semana do menor", "menor delinquente", "menor abandonado" e outras expressões semelhantes para designar a criança pobre e marginalizada, cuja marginalização já é reconhecida e formalizada pelo simples designativo de "menor". E, no entanto, estas também são crianças, também são pessoas, mas para elas não existe o direito de ser reconhecidas e tratadas como tal.

IV

Assegurar à criança o direito de ser pessoa significa dar-lhe a possibilidade de ser o que realmente é, sem necessidade de esconder, de fingir, de representar para evitar a agressão de um adulto. Se, para ser respeitada como pessoa, a criança for obrigada a dissimular, então não existe verdadeiro respeito. Quem não concordar com as atitudes de uma criança e achar que pode ensinar-lhe um caminho melhor deverá fazê-lo, mas sem deixar de respeitá-la como ser humano, jamais chegando à prática de uma violência contra ela. Uma atitude firme e serena na hora da repreensão, sem excessos violentos, mantém a confiança da criança para que ela se mostre como é, sendo também uma boa oportunidade para lhe ensinar, por palavras e pelo exemplo, a respeitar a integridade de outrem.

É preciso não perder de vista, afinal, que o direito de ser pessoa deve incluir a possibilidade de crescer como pessoa, o que é fundamental sobretudo para a criança. O crescimento físico, psíquico, moral e espiritual faz parte da ordem natural das coisas, jamais devendo ser obstado. Bem ao contrário, é preciso que a criança receba proteção, ajuda e estímulo para que cresça, a fim de que possa realizar-se plenamente como pessoa e integrar-se na comunhão humana.

Em quase todas as sociedades contemporâneas, mas sobretudo naquelas em que a situação patrimonial da família é que define a posição social do recém-nascido, é costume estabelecer-se uma diferenciação profunda e ostensiva entre as crianças desde o momento em que nascem. Umas têm asseguradas todas as necessidades materiais e psicológicas, recebendo assistência médica, alimentação adequada, boas roupas, além do apoio afetivo da família e de um ambiente propício à sua afirmação e ao seu desenvolvimento como pessoa. Outras, que podem ter nascido no mesmo momento e na mesma cidade, não recebem o mínimo necessário simplesmente porque nasceram de mãe pobre. É a sociedade agredindo crianças. E cada membro da sociedade que não reage contra isso é um agressor.

Uma sociedade justa é aquela em que todas as crianças são igualmente tratadas como pessoas desde o instante de seu nascimento, tendo a efetiva possibilidade de crescer e de viver como pessoas.

Direito de pensar

I

A criança é um ser racional, dotado de inteligência, podendo desenvolver extraordinariamente essa faculdade desde que lhe seja assegurado o direito de pensar com a própria cabeça. Impor a uma criança a aceitação de ideias, forçá-la a acompanhar, por intuição ou por reação automática, o pensamento dos adultos é negar-lhe o uso da inteligência, é reduzir a uma pobre e enfadonha repetição mecânica o que poderia ser a fascinante experiência da vida.

A criança nasce sem hábitos, sem informações, sem preconceitos e sem compromissos com o passado. Se os adultos tivessem consciência disso, teriam mais cuidado na socialização infantil. Além disso, não atribuiriam tanta responsabilidade e tanta culpa a crianças, adolescentes e adultos por coisas que eles fazem por não terem tido a oportunidade de fazer diferente. É necessário estarmos atentos para não transmitirmos à criança alguma coisa que mais tarde nós próprios reprovaremos se ela fizer ou disser.

É preciso evitar, também, a atitude deliberada de impor ideias desde muito cedo às crianças para que elas sejam adeptas e continuadoras das convicções dos pais, professores ou de qualquer adulto prepotente.

Evidentemente, não é possível pretender que os pais não tenham ideias ou procurem ocultá-las para que seus filhos não sejam influenciados. O que o direito de pensar exige é que a criança não sofra a imposição ou censura de ideias por arrogância ou intolerância dos pais. Os adultos não devem usar seus conhecimentos mais amplos e sua capacidade de argumentação para incutir nela a convicção de que só suas ideias são boas e inspiradas na boa-fé e de que todas as demais são absurdas e produtos da má-fé. Não devem também valer-se de sua autoridade para impedi-la de conhecer outras ideias além daquelas que eles consideram melhores.

A criança deve ter a possibilidade de conhecer e de raciocinar, para que possa formar livremente sua convicção. E esta, seja qual for, deverá ser respeitada, podendo-se, isto sim, estimular a criança a repensar e a estar sempre disposta a considerar novas ideias. Esse método é o modo de proceder de quem realmente respeita o direito de pensar que toda criança deve ter.

Toda criança é um ser dotado de inteligência, que pensa e deve ter o direito de pensar com a própria cabeça.

II

A criança nasce sem hábitos. Dos comportamentos mais simples, como dormir com a luz apagada ou segurando um objeto, às coisas mais complicadas, como saber brincar sozinha ou dividir um brinquedo com um companheiro, tudo tem um começo — e muitas vezes continuará pela vida afora dependendo desse começo.

Hábitos alimentares, hábitos de higiene, hábito de ler, hábito de ouvir, hábito de estudar, hábito de ficar passiva perante a televisão*, hábito de praticar esportes, hábito de proceder honestamente, hábito de respeitar os outros, hábito de reivindicar e de ceder, hábito de pensar. Todos esses hábitos tiveram seu primeiro momento e muitas vezes não são produto de uma escolha da criança, mas de uma imposição mais ou menos disfarçada, mais ou menos consciente.

É muito difícil saber se um hábito se formou pela simples repetição de uma experiência agradável ou pela intenção de fazer alguma

---

* Em diversos momentos o autor vai se referir à televisão como interface prejudicial ao desenvolvimento infantil. Embora este livro tenha sido lançado em 1986, quando ainda não havia *tablets* e celulares, a crítica feita à TV é totalmente pertinente à tecnologia atual. [N. E.]

coisa que os outros faziam — ou pelo desejo de fazer algo que parecia agradável aos outros. Mas é sempre conveniente permitir que a criança continue fazendo suas escolhas, deixando-a viver experiências diferentes e mostrando-lhe novas possibilidades, a fim de que, com a própria inteligência, ela perceba o que é mais favorável ao seu desenvolvimento físico e mental e à sua socialização. Estimular a criança a usar a inteligência é coisa que pode ser feita desde muito cedo e lhe será útil para a vida inteira.

A inteligência da criança trabalha com as informações recebidas dos adultos e de seus pares. Recebendo a informação, ela a guarda na memória e poderá utilizá-la logo em seguida ou muito tempo depois, reproduzindo-a pura e simplesmente ou combinando-a com outras informações. Nesse sentido, o cérebro humano é como um computador que armazena dados, com a diferença, extremamente importante, de que no caso do ser humano é ele próprio quem decide quando e como utilizar determinados dados.

Aqui, dois pontos devem ser considerados: o tipo de informação que lhe será transmitido e o estímulo à sua capacidade de usar as informações já recebidas.

Quando um menino pratica pequenos furtos como meio de vida ou quando um adulto é profissional do crime, é quase certo que, além de terem vivido sempre na pobreza, nunca receberam informações sobre os valores humanos e sociais. Isso explica por que a maioria dos criminosos vem das camadas mais pobres da população: é que nelas, geralmente, a convivência com a família não existe ou é muito precária. Nesse caso, a precariedade pode ser resultante do fato de que, vivendo com grandes dificuldades econômicas, os pais não têm tempo ou disposição para dialogar com os filhos, sendo também provável que eles próprios venham de ambiente semelhante. Desse modo se estabelece uma cadeia de marginalizações, que passa de geração em geração e dificilmente será quebrada.

A criança que nasce pobre tem poucas possibilidades de receber as informações necessárias para adotar o comportamento social desejado pelas pessoas mais ricas. É possível que pela escola receba uma parte dessas informações, mas a própria criança, porque é um ser inteligente, vai ligar tais informações às que recebe no seu lugar de moradia e noutros ambientes que frequenta, e daí sempre pode decorrer um comportamento surpreendente para a sociedade e para os próprios educadores. Até há algumas décadas, essa desinformação para a convivência não acarretava consequências sociais muito graves, pois quando muito produzia um pequeno número de revoltados ou desajustados, ou então de líderes revolucionários, facilmente controláveis por aparatos de repressão.

Nos últimos tempos, vários fatores começaram a dar um peso social maior aos desinformados para a convivência desejada pelas camadas sociais superiores. A existência de grandes aglomerados urbanos torna mais evidente a desinformação e mais graves os seus efeitos, ao mesmo tempo que facilita a aproximação entre os socialmente inferiorizados. Isso está na raiz dos movimentos contemporâneos de rebeldia social e, nos casos extremos de absoluta desinformação para a convivência, está no nascedouro da marginalização social e da prática de atos infracionais.

Fora dessas hipóteses mais extremadas, e ficando apenas dentro da sociedade que se considera bem constituída, a questão da transmissão de informações à criança também é de grande importância; no entanto, isso não tem merecido a devida atenção. A transmissão de informações começa desde o início da vida e deve ocupar uma parte substancial do processo educativo.

"Ninguém nasce sabendo" é um velho aforismo que reflete a sabedoria popular e revela, justamente, a necessidade de transmitir informações a alguém que se quer que faça alguma coisa, bem como justifica a incapacidade e os erros de quem não recebeu tais informações. No mundo moderno, exageradamente competitivo e irracionalmente dinâmico, está ocorrendo uma situação absurda: ao mesmo tempo que se proclama o extraordinário aperfeiçoamento dos veículos de informação, também se reconhece que a maioria das pessoas é mal informada, por falta de tempo ou de interesse ou porque a divulgação de informações está sujeita à influência de interesses econômicos e políticos.

Em relação à criança, tudo começa com a falta de tempo ou de paciência dos adultos. Quando ela ainda não fala, é comum que se procure ensinar-lhe o que mais convém aos adultos e não a ela própria. O que se deseja é que ela atrapalhe o menos possível e não ocupe muito tempo dos pais e educadores.

Se a criança já fala e pede informações, é comum que não receba resposta ou que esta seja dada com irritação ou displicência, de modo incompleto, com a máxima brevidade possível. É preciso que os adultos percebam que no momento em que a criança pede uma informação está desejosa de aprender, está à procura de novos conhecimentos, está desenvolvendo sua inteligência. Por mais simples que seja o pedido, deve receber a melhor atenção, pois esse é um momento de crescimento interior. O diálogo com um adulto paciente e interessado é o melhor veículo para informá-la, pois mesmo que ele não saiba responder poderá fazer alguma consideração em torno da pergunta e orientar a busca da resposta. Será o encontro fértil de duas inteligências.

Uma questão muito discutida hoje é o pouco interesse das crianças pela leitura e o grande número de horas que elas passam diante da TV. Esse é de fato um problema, e muito grave, das sociedades modernas, mas somente por hipocrisia ou exagerada cegueira é que se poderá atribuir a culpa às próprias crianças.

Não há dúvida de que a leitura é um dos modos mais eficientes de estímulo à inteligência, pois dá a informação imediata, desenvolve a capacidade de raciocínio abstrato — treinando a criança a imaginar coisas que não são vistas —, estimula o uso da memória e desenvolve a criatividade. Mas é necessário que os adultos mostrem a ela que o livro é um valioso repositório de informações e que a ensinem a usá-lo. Veja, não pense e vá correndo comprar: eis o que a televisão oferece aos pequenos.

A televisão, como vem sendo utilizada nas sociedades capitalistas, cria a ilusão de muita informação, porque apresenta a imagem dos fatos, mas na realidade informa pouco e transmite uma quantidade enorme de mensagens inúteis, além de embotar a inteligência e anular a criatividade.

A criança vê a imagem e por isso não precisa exercitar a imaginação, limitando-se a observar passivamente o que lhe é posto perante os olhos. As informações sobre fatos sociais são transmitidas de modo muito sucinto e em tempo reduzidíssimo. Grande parte do tempo é ocupada com mensagens comerciais, que dão a ela uma imagem distorcida das relações sociais, mostrando situações e falando de um sucesso fácil que ninguém vive nem obtém na realidade e estimulando agressivamente o consumo de bens supérfluos, muitas vezes acima da capacidade econômica da criança.

Além disso tudo, a criança postada na frente de uma televisão está sozinha e abandonada; não usa a inteligência e a palavra e não recebe os benefícios de uma verdadeira convivência, ainda que estejam crianças e adultos à sua volta.

Outro inimigo moderno da inteligência infantil são os chamados brinquedos eletrônicos, sobretudo os videogames, mas também os minicomputadores. Sendo aparentemente modernizadores porque usam a mais sofisticada tecnologia, chegam a dar a impressão de que fazem grande apelo à inteligência. Na realidade, porém, limitam-se a exigir alguns gestos mecânicos e dispensam a criança de pensar, não deixando qualquer margem para a criatividade.

E, como se isso não bastasse – fator que já é extremamente prejudicial para o desenvolvimento da inteligência —, ainda produzem o terrível malefício de habituar a criança a brincar com uma simples máquina, não com seus pares. Anula-se, desse modo, uma extraordinária possibilidade de relacionamento humano: o momento de brincar coletivamente, quando, através da união da inteligência e do afeto, se descobre o valor excepcional do companheirismo e da solidariedade.

III

Os adultos sem paciência, sem imaginação e sem riqueza afetiva estão sempre procurando modos de anular a criança, tirando-a de sua convivência e colocando-a à margem da vida social. A verdade é que a marginalização rica e espetacular também não deixa de ser marginalização. Falta o diálogo, a inserção da criança na vida familiar, o estímulo à aprendizagem inteligente para a vida social. E as crianças, convivendo com máquinas, são reduzidas a meros robôs.

Proporcionar à criança um comportamento que estimule sua inteligência e protegê-la de tudo que possa contribuir para que ela deixe de pensar é ajudá-la a descobrir o mundo, mas descobri-lo com os próprios olhos, com a capacidade de ver muitas coisas que outros não viram. A criança deve ter o direito de pensar sem a imposição de ideias e receber apoio para fazer suas descobertas e iniciar a exploração do mundo do conhecimento.

O direito de pensar é necessário para que se chegue à possibilidade de criar, que é um dos mais extraordinários dons da humanidade. Na simbologia bíblica, a criação do mundo é um processo, e, entregando a Terra ao homem para que a transformasse, Deus o associou ao processo de criação. Por isso, o momento mais sublime do ser humano é aquele em que ele se revela criador e, com sua inteligência e seu trabalho, vai criando seu mundo. A inteligência criadora se revela e se expande no simples trabalho escolar da criança que recebe a tarefa de inventar uma história. É a partir desse ponto e mediante constantes estímulos que ela conseguirá chegar à invenção científica, tecnológica e artística, podendo chegar também à criação de novas formas de convivência, de novas formas de organização social.

IV

A par de tudo que já foi dito sobre o direito de pensar, deve-se ainda acrescentar que à criança, como ser inteligente, deve ser dada a possibilidade de compreender o que lhe dizem e o que lhe fazem, bem como aquilo que está acontecendo à sua volta. Ordens, proibições, conselhos, repreensões, elogios e punições devem ser transmitidos em forma de diálogo, como duas inteligências que se comunicam.

Nunca se deve partir do pressuposto de que a criança não conseguirá compreender, porque a verdade é que, de alguma forma, ela compreenderá. Em lugar de deixá-la compreender a seu modo, sem atingir a intenção de quem lhe fala, é sempre melhor falar de maneira que esteja ao seu alcance, ainda que isso exija mais tempo, mais paciência e maior esforço do adulto. A palavra de elogio, de ajuda ou de estímulo dita de modo inadequado não atinge seu objetivo. O mesmo ocorre com a punição, proibição ou advertência, que podem ser recebidas apenas como demonstrações de raiva, de intolerância ou de incompreensão se não forem externadas de forma inteligente, racional, lógica. A criança consegue compreender muitas coisas aparentemente difíceis e complicadas, desde que transmitidas com simplicidade... e com inteligência.

O lado oposto dessa observação é a lembrança de que a criança tem o direito de ser compreendida. Isso também faz parte de suas exigências como ser inteligente, que pensa, tem ideias e é capaz de explicar a razão de suas atitudes, de seus gestos e de suas palavras.

Muitas vezes o adulto se surpreende ou se irrita porque a criança agiu de certo modo, a seu ver absurdo ou errado, e parte logo para o castigo ou a descompostura, sem tentar entender o motivo daquilo. Quantas dessas vezes um pedido inteligente de explicações daria oportunidade a uma resposta inteligente, reveladora da vida interior da criança e de sua visão do mundo? Outras vezes terá sido perdida a oportunidade de corrigir um equívoco ou de completar uma informação, transmitindo um conhecimento útil. Compreender a criança é respeitar sua inteligência, além de aumentar a possibilidade de agir com justiça em relação a ela.

Tratar a criança como um ser inteligente, reconhecendo e assegurando seu direito de pensar, é uma exigência de sua condição humana, seja qual for a criança e seja qual for o adulto que com ela se relacione.

Direito de sentir

I

Todo ser humano é dotado de sensibilidade, embora em muitos as condições de vida ou a educação acabem determinando comportamentos puramente racionais, sem emoção, ou um modo de agir puramente mecânico, vegetativo, como se fosse apenas matéria em movimento.

A criança tem o direito de ser tratada como um ser capaz de sentir, e poderá experimentar grande sofrimento se essa característica não for respeitada; poderá, ao contrário, desenvolver de modo extraordinário sua condição humana se for favorecida a expansão de seus sentimentos. Na criança, os sentimentos ainda estão praticamente desvinculados da razão. Por esse motivo se revelam com mais facilidade e nitidez, reagindo favoravelmente a qualquer estímulo. Mas, ao mesmo tempo, sofrem com maior intensidade os impactos das agressões e repressões e, se forem sufocadas ou violentadas, isso acarretará dificuldades em seus relacionamentos humanos e poderá criar problemas graves para o desenvolvimento de sua personalidade.

Falar dos sentimentos é considerar a vida afetiva das crianças. Muitos cientistas, inclusive grandes psicólogos que escreveram sobre a criança, não tratam desse assunto, ou por acharem impossível estudar cientificamente o que se passa no íntimo de uma criança e que ela própria não sabe expressar — não podendo, assim, ser perfeitamente conhecido —, ou por entenderem que o mundo dos sentimentos não tem a mesma importância que o mundo da razão. A realidade, porém, é que os sentimentos sempre exercem grande influência sobre o comportamento das pessoas. Não é raro vermos alguém agir de modo que nos parece irracional sem que consideremos absurdo esse comportamento, porque reconhecemos que ele reflete os sentimentos da pessoa.

Com a experiência já adquirida pela humanidade e dando atenção à criança, observando suas atitudes e reações, é perfeitamente possível avaliar a influência de certos sentimentos, bem como os efeitos, muitas vezes dramáticos, de seu desrespeito. Assim, por exemplo, quem tiver acesso ao menino em situação vulnerável, que é obrigado a furtar ou mendigar para obter alimento, perceberá logo que ele sofre com isso. É a razão quem lhe diz que outros meninos da mesma idade contam com a proteção da família e recebem sem nenhum esforço o necessário e o supérfluo. Mas é o sentimento quem lhe diz que isso é triste e injusto e que seria muito melhor se ele também tivesse uma família que lhe desse afeto e os cuidados materiais. Ele se sente infeliz, e isso tem grande peso em sua atitude perante o mundo.

Por outro lado, quem convive ou conviveu com crianças no ambiente do lar, da escola ou em qualquer outro que permita observar reiteradamente as reações delas sabe que falar aos sentimentos muitas vezes é bem mais eficiente do que falar à razão. Quem procura impor medo às crianças ou conquistá-las com elogios está falando aos seus sentimentos. E isso é frequentemente utilizado para facilitar a vida dos adultos, sem qualquer respeito pela criança nem considerar que esse procedimento poderá ter grande influência na formação de sua personalidade, por vezes acarretando consequências que marcarão sua vida inteira.

Assim, a criança tem o direito de ser tratada como um ser sensível, na mesma medida de seu direito de ser tratada como um ser racional.

II

Toda criança tem o direito de dar e de receber afeto. A criança gosta de agradar os que vivem ao seu lado e isso não pode ser interpretado, como fazem muitos adultos, como atitude calculada e interesseira, de quem está procurando uma retribuição. Quantas são as vezes em que, de surpresa, sem ser provocada nem esperar nenhuma compensação,

(O direito da criança ao respeito)

a criança diz uma palavra amável a alguém que está ao seu lado ou chega mesmo a fazer um gesto carinhoso, como um afago ou um beijo? Não é raro também que, vendo uma pessoa chorar ou manifestar grande aflição, procure demonstrar-lhe afeto.

Esses comportamentos demonstram justamente que a criança tem uma grande reserva afetiva e quer distribuí-la. Por esse meio ela procura relacionar-se com outras pessoas, mas estabelecendo um relacionamento íntimo, criando uma convivência agradável, enriquecendo seu mundo interior. Só através dos sentimentos ela poderá fazer essas conquistas e sentir-se de fato ligada a outros seres humanos.

É também muito comum uma criança fazer afagos num animal e tratá-lo carinhosamente. Isso acontece porque sua reserva de afeto é muito grande e sua primeira atitude em relação ao mundo é amistosa. O relacionamento afetivo com um animal também é enriquecedor, de um lado porque permite à criança expandir seus sentimentos, e de outro porque contribui para que ela conceba o mundo como um lugar de paz e de bondade.

Impedir uma criança de expandir seus sentimentos, por uma ideia absurda de disciplina ou por pretender que ela encare a vida com seriedade, querendo com isso dizer "racionalmente", é agredir sua natureza. Com isso ela acumulará frustrações e tenderá a fechar-se em seus sentimentos, estando aberto o caminho para que seja calculista e dissimulada.

É igualmente grave retribuir com indiferença ou grosseria à demonstração de afeto de uma criança. Muitas vezes o adulto, ocupado com alguma coisa ou displicente em relação à criança, não lhe dá atenção ou chega mesmo a repreendê-la ou determinar que fique quieta quando ela faz um gesto carinhoso. Essa atitude é sempre negativa para sua formação — e, se for reiterada, acabará por fazê-la amarga, desconfiada, temerosa de revelar seus sentimentos, o que dificultará enormemente suas relações afetivas. E quando muitas crianças se transformam em adultos com essas características, a vida em sociedade se torna desagradável, penosa, agressiva. Assim, o mal que se faz a uma criança impedindo-a de dar afeto não será prejudicial apenas a ela, mas a todo o ambiente no qual ela se insere.

III

Toda criança precisa receber afeto para não se sentir indesejada, rejeitada, incômoda para os que vivem ao seu lado. O tratamento afetuoso lhe serve de amparo e estímulo, ajudando-a a suportar e enfrentar dificuldades, ao mesmo tempo que lhe dá inspiração e ânimo para um relacionamento pacífico e harmonioso com os que a cercam. A falta de afeto faz crianças tristes e revoltadas, que se mostram rebeldes, indisciplinadas ou simplesmente incapazes de agir com segurança e serenidade.

É preciso ter em conta que todas as crianças necessitam de tratamento afetivo, não sendo certo nem justo tratar assim apenas aquelas que nos parecem bonitas, simpáticas, agradáveis ou inteligentes. Esse é um problema bastante sério, que ocorre com frequência em ambientes em que há várias ou muitas crianças, verificando-se até mesmo na convivência familiar. Nega-se afeto à criança considerada feia, burra, fraca, desajeitada, sem graça, ficando às vezes muito ostensiva a diferença entre o tratamento que se dispensa a ela e a seus pares.

Aqui também é preciso lembrar que todas as crianças são seres humanos essencialmente iguais, com as mesmas necessidades básicas. Quem se lembrar disso deverá ser prudente e cuidadoso para não demonstrar sua preferência por uma criança, a tal ponto que faça outra sentir-se inferior, rejeitada, não merecedora de afeto. É certo, também, que toda criança tratada com afeto responderá afetuosamente e, por mais desprovida de graças que possa parecer, sempre terá algo de puro, ingênuo e agradável a ser colhido por quem lhe der atenção.

Uma situação muito especial, que exige dos adultos uma atitude mais cuidadosa — e quanto possível mais serena — é a das crianças que têm alguma deficiência física ou mental. Estas já sofrem, normalmente, pelo fato de não poderem viver como as outras crianças e de não poderem fazer tudo que as outras fazem. E não é raro que crianças e adultos evitem aproximar-se da criança que tem uma deficiência, demonstrando claramente sua rejeição.

É indispensável, absolutamente necessário, que os familiares e todos os que mantêm um relacionamento constante ou frequente com essa criança não lhe neguem afeto, não façam da relação com ela uma obrigação penosa ou uma rotina que se suporta por ser inevitável. Não se há de tratar a criança deficiente com a deferência forçada, claramente artificial, que mais acentua sua condição. O que se deve fazer é procurar tratá-la com naturalidade, com a afetuosa naturalidade devida a todas as crianças. Isso, muitas vezes, não será fácil, especialmente quando não se tem resposta e quando a manutenção da serenidade exige um esforço heroico, mais heroico porque anônimo e constante. Mas a criança não tem culpa por sua deficiência e é preciso não castigá-la nem piorar suas condições negando-lhe o afeto exigido por sua natureza.

A exigência de dar afeto, que é o complemento necessário de receber afeto, foi sintetizada em um dos principais mandamentos cristãos: amar ao próximo como a si mesmo. O próximo são todas as demais pessoas, são todos os seres humanos. Dando-se a eles o mesmo amor que sempre desejamos receber, a convivência humana se torna mais agradável, mais fácil, mais leal, mais bela e mais feliz. Todos nós queremos nos sentir amados, mesmo quando disfarçamos isso com a rudeza ou a indiferença. Amar e ser amado, dar e receber afeto, é o caminho para o aperfeiçoamento da convivência humana e para a conquista da paz, tanto da paz interior quanto da paz social.

O direito de sentir significa também o direito de não ter de agir como herdeiro ou sócio de sentimentos negativos: o direito de não odiar, de não desprezar, de não discriminar. Incutir numa criança um sentimento de ódio ou de desprezo por um indivíduo ou uma coletividade é atentar contra o seu direito de sentir, que só existe quando ela não sofre imposições ou restrições, manifestas ou dissimuladas. Tais sentimentos são negativos do ponto de vista do crescimento interior da pessoa e serão obstáculos à sua vida afetiva, à convivência pacífica com todas as demais.

O ódio entre famílias, entre grupos sociais, entre nações não deve ser alimentado de nenhuma forma, não deve ser inoculado nas crianças para que elas o cultivem quando adultas. Mais uma vez, é preciso lembrar o mandamento do amor ao próximo, que anula atitudes discriminatórias e agressivas, sendo o caminho mais adequado para quem quiser realmente conquistar a paz.

Toda criança deve ter o direito de dar e de receber amizade. A verdadeira amizade nasce no íntimo das pessoas e não se orienta nem se detém por considerações de conveniência pessoal ou social. Nas sociedades modernas, sobretudo nas que são mais influenciadas pelos princípios do capitalismo, as famílias procuram promover ou impedir a amizade entre crianças considerando o nível social e possíveis consequências econômicas. Isso é deturpação do sentimento de amizade, que como tal só existe realmente quando é espontâneo e não condicionado por motivos de ordem racional.

O direito a relações de amizade faz parte das necessidades infantis fundamentais. Estabelecendo relações puramente afetivas, marcadas por um sentimento de simpatia e solidariedade, de lealdade e confiança recíprocas, a criança cria seu mundo, seu ambiente humano, no qual poderá agir sem convencionalismos, sem prevenções e com toda a confiança. É a intimidade com respeito recíproco que permite a expansão dos sentimentos e torna a vida mais fácil, mais alegre, mais rica de comunhão humana e de solidariedade.

Os pais devem sentir-se felizes quando seus filhos têm amigos e procurar contribuir para que se cultive o sentimento de amizade. O mesmo pode ser dito em relação aos educadores, que jamais devem temer a amizade entre seus alunos e discípulos, como algo perigoso e propiciador de vícios e desvios de comportamento. A amizade é um sentimento fecundo e benéfico, que prepara as pessoas para a boa convivência e proporciona o aperfeiçoamento espiritual. A sociedade humana será um ambiente de harmonia, de solidariedade e de paz quando os sócios forem substituídos por amigos. O favorecimento dessa substituição no plano individual sempre terá repercussões positivas no plano social.

IV

A criança tem o direito de gostar do que gosta. É uma violência forçá-la a gostar do que os outros gostam ou daquilo que se acha que seria normal que ela gostasse. É comum que se ache absurdo uma criança gostar de ficar em casa quando todas as de sua idade gostam de ir para a rua, ou que goste de brincar sozinha quando se vê que as outras crianças preferem ter sempre companhia.

Há uma porção de equívocos na atitude do adulto que quer racionalizar os gostos da criança forçando-a a gostar de uma coisa e a não gostar de outra. Antes de mais nada, é preciso ter em conta que o gostar está no plano dos sentimentos e não no da razão ou da vontade. Gosta-se porque se gosta e não porque é útil, proveitoso, agradável aos outros ou porque se quer gostar. Isso se aplica aos brinquedos, à comida, às roupas, ao passeio, à música, às obras de arte e também à visita a museus, bem como ao relacionamento com animais e até mesmo com outras pessoas. Ninguém decide que a partir de certo momento vai começar a gostar de gatos, de ópera ou de comer verdura cozida.

Um equívoco comum é acreditar que obrigando a criança a fazer uma coisa de que não gosta ela acabará gostando. Se os adultos prestassem atenção nas crianças, perceberiam que o mais comum é justamente o contrário. O excesso de insistência ou, pior ainda, o uso da violência para que elas gostem ou deixem de gostar de algo costuma estabelecer um clima de guerra, tornando extremamente desagradáveis o que poderiam ser bons momentos de convivência. E provoca reação em sentido contrário: faz que elas tenham como ponto de honra nem sequer experimentar coisas diferentes e não admitam que possa gostar daquilo que os adultos querem.

A violência contra uma criança para mudar seus gostos por vezes gera duas outras espécies de comportamento. Pode ser que ela não resista ostensivamente, porque percebe que se agir desse modo será castigada e tem medo do castigo. Então aceita a imposição, embora demonstrando má vontade, deixando claro que está sofrendo uma violência e que logo que puder voltará a fazer o contrário. Ou então poderá achar mais conveniente fingir que se rendeu à imposição, fazer de conta que mudou o seu gosto, como os adultos queriam. No primeiro caso, pode nascer aí uma revolta, um distanciamento afetivo, que terá consequências muito desagradáveis anos mais tarde, como aconteceu com um menino cujo avô o obrigou a comer lentilhas e que por isso detestou esse avô pelo resto da vida. No segundo caso, a criança estará sendo forçada a agir com dissimulação, com falsidade, deslealmente, o que talvez marque de modo negativo sua vida futura.

Põe-se então uma pergunta muito importante: é possível ensinar uma criança a gostar ou não gostar de alguma coisa ou devemos deixar que ela continue agindo de modo que evidentemente ameaçará gravemente sua saúde ou dificultará sua integração social?

Na realidade, são muito raros os casos em que um gosto infantil não desejado pelos adultos significa uma grave ameaça. Quase sempre, o que existe é intolerância dos adultos, por quererem a todo custo que sua vontade prevaleça ou que seus filhos sejam seus imitadores, ou por não compreenderem que gostar ou não de alguma coisa é característica pessoal, que pode ser influenciada por fatores culturais. A idade da criança, o ambiente escolar, a publicidade feita intensamente pela mídia, bem como a observação dos comportamentos de outras pessoas, tudo isso pode predispor a criança a gostar ou não de algo.

A criança gosta, por exemplo, das músicas da moda, o que irrita seus pais, que acham muito melhores as músicas mais antigas. As coisas ficariam mais fáceis para esses progenitores se eles estivessem atentos ao que foi sintetizado com muita poesia por Gibran Khalil Gibran: "A vida não anda para trás". Ou se conhecessem a observação, cheia de simplicidade e sabedoria, que Thomas Mann põe na boca de uma de suas personagens: mesmo as grandes coisas passam e o tempo, desrespeitoso, põe coisas novas em seu lugar. Estas poderão não ser tão boas como aquelas, mas serão preferidas por serem presentes, por terem vida. A criança quer viver o seu tempo e se predispõe a gostar dos gostos do seu tempo.

Apesar disso, e de certo modo a partir disso, é possível afirmar que um gosto pode nascer de um ensinamento. Mas é preciso que fique claro: nunca de uma imposição. Pode-se chamar a atenção da criança, delicadamente, para a beleza de uma paisagem ou de um quadro, ou para a graça de um animal. Pode-se procurar mostrar-lhe como certa música é agradável e melodiosa ou tem um ritmo alegre, ou então como lhe ficaria bem um sapato ou certo tipo de roupa. Assim também em relação à comida, às diversões e até mesmo às amizades: sempre será possível dizer alguma coisa que desperte a atenção da criança, que provoque seu interesse e lhe dê disposição para uma nova experiência.

Mas não podemos esquecer que quanto a gostar ou não gostar basta mostrar boa vontade. Talvez a criança faça a experiência e continue não gostando daquilo que lhe está sendo sugerido. Porém, sua disposição para fazer uma tentativa já é demonstração de boa vontade, e isso deve ser valorizado. Da mesma forma, não se pode esquecer que se os adultos querem alguma alteração nos hábitos da criança, implicando a mudança de seus gostos, o caminho é o diálogo, a argumentação serena, a justificativa, que certamente será exigida pela criança. Também é preciso lembrar, afinal, que é normal as crianças terem gostos diferentes dos de seus pais. Muitas vezes o hábito — por exemplo, os hábitos alimentares — leva a gostos semelhantes, mas se forem diferentes isso não representa uma tragédia.

Respeitar o direito de gostar é parte do respeito devido à criança e contribui para seu desenvolvimento interior e para a afirmação de sua personalidade. É comum que os pais queiram moldar os filhos à sua feição, encorajando um gosto ou desestimulando outro, como o pai que quer que o filho goste de um time de futebol porque é o de sua preferência, ou a mãe que não quer que a filha goste de livros porque ela mesma não gosta e acha que ler é perda de tempo. Como se pode verificar na prática, muitas vezes a divergência de gostos se refere a coisas supérfluas; em outras, a criança gosta de alguma coisa que está mais de acordo com suas características pessoais.

Melhor do que pretender forçar a criança a mudar de gostos é deixar que ela goste do que gosta, dar-lhe liberdade para que manifeste com sinceridade e confiança suas preferências e ajudá-la a mudar de rumo quando houver claro risco para sua formação e seu desenvolvimento.

V

Ainda no campo dos sentimentos da criança, de seu direito de sentir, é preciso dizer alguma coisa sobre o medo, que tem desempenhado papel fundamental na vida das pessoas e dos povos. Às vezes o medo é tão irracional, tão absurdo, que chega a provocar a irritação de outras pessoas. O fato é que o medo é um sentimento, não uma conclusão racional.

O que é que leva uma criança a ter medo de alguma coisa, como medo do escuro, de certos animais, do trovão ou de lugares altos? Esses temores são muito comuns e, pelo menos aparentemente, existem sem que um adulto os tenha sugerido. Ao que parece, estão ligados ao sentimento de perigo, a uma intuição da criança que ela própria, mesmo quando já dispõe de um bom vocabulário, é incapaz de justificar racionalmente.

Não é raro, porém, que o medo tenha sido sugerido não por palavras dos adultos, mas por atitudes. A mãe vai deixar seu filhinho, ainda bebê, sozinho no quarto. A criança não é capaz de sair sozinha da cama e não vai necessitar de iluminação para fazer qualquer coisa. Mas ainda assim a mãe quer que o quarto fique iluminado, provavelmente porque ela própria associa as ideias de escuro e de perigo e por isso acredita que seu filho estará mais protegido se o quarto não ficar totalmente escuro.

(*O direito da criança ao respeito*)

Na maioria das vezes, não é possível identificar a origem do medo. Ele existe pura e simplesmente, independentemente da vontade. Seria absurdo considerá-lo um capricho da criança e querer castigá-la por isso, como é absurdo querer forçar alguém a não sentir medo. Isso, no entanto, acontece com certa frequência, sendo comum o pai não querer admitir que filho tenha medo porque uma convenção social tola estabeleceu que o medo é um sentimento feminino. O medo não tem preferência por gênero.

É preciso ter a coragem de não ter medo. Essa frase, que soa absurda, tem sido pronunciada muitas vezes, com disfarces e variantes. O medo é inibidor de movimento, limitador de possibilidades. E, quando muito intenso, pode tornar muito difícil a vida de uma pessoa e até mesmo determinar seu fracasso profissional e social. O indivíduo medroso nunca ousa, não faz tentativas, não arrisca uma experiência, não entra em competições, pois "sente" que será malsucedido, que não conseguirá atingir o objetivo, que será derrotado.

É justamente por causa do efeito inibidor do medo e de seu reflexo negativo na vida das pessoas que muitos pais e educadores procuram combater o medo sentido pelas crianças. Essa preocupação é razoável, embora não se possa mudar um sentimento pela coação e, por vezes, nem pelo estímulo a uma atitude que signifique sua superação. Esta última orientação é, porém, a mais conveniente.

Quando se tratar de um medo que se possa dizer "racionalizado", isto é, quando a criança diz o que teme e por que, é possível que com paciência e bons argumentos se consiga ajudá-la a superar o problema, mostrando que este não se fundamenta num perigo real. Mas quando for apenas um sentimento vago, de tal modo que nem a criança consiga dizer por que tem medo, o estímulo fica mais difícil, exatamente pela impossibilidade de demonstrar que o medo é irracional.

De qualquer modo, o medo é sempre um sentimento, algo que está fora da razão e pode acarretar sofrimento e prejuízos para quem o sente. Por isso, o medo sentido pela criança deve ser enfrentado com paciência, compreensão e inteligência. O uso de violência para forçá-la a não sentir medo jamais atingirá esse objetivo, além de ser um desrespeito à sua personalidade e de acrescentar um novo medo, desta vez plenamente justificado.

VI

Em relação ao direito de sentir, é preciso considerar as hipóteses da criança que se sente bem brincando sozinha e da que prefere ter sempre a companhia de seus pares.

Existe a ideia generalizada, que muitas vezes age como verdadeiro preconceito, de que toda criança deve querer estar em companhia de outras crianças. Segundo essa convicção, aquela que deseja ficar sozinha é anormal, provavelmente doente, devendo ser corrigida. Na realidade, porém, essa ideia não é verdadeira.

Não é raro ver uma criança inteligente e sadia preferir permanecer sozinha durante horas, com seus brinquedos, com seus livros ou simplesmente observando a natureza ou as atividades de pessoas ou animais. Ela não se sente abandonada, isolada ou triste. Pelo contrário, está feliz e se relaciona muito bem com as pessoas, tendo bom rendimento escolar. Não há motivo para forçá-la a sentir-se bem integrando um bando de crianças, pois, além de tudo, é muito provável que ela não consiga fazê-lo.

Se o isolamento espontâneo da criança for motivado por alguma deficiência, isso se refletirá na sua relação com as pessoas, em sua vida escolar e em outras atividades que ela deva desenvolver. Qualquer adulto razoavelmente atento perceberá que ela não se sente feliz, que o retraimento não é a revelação de um modo peculiar de se sentir bem. Nesse caso, algo deverá ser feito, mas com delicadeza e cuidado, sem pretender mudar pela força a atitude da criança. Em tal circunstância, mais do que nunca, é preciso respeitar seus sentimentos, tentando ajudá-la, colaborando com ela na identificação da causa de sua tristeza, procurando descobrir por que ela se sente infeliz. Essa espécie de ajuda não violenta a criança; ao contrário, pode devolver-lhe na plenitude seu direito de sentir.

(O direito da criança ao respeito)

Um problema paralelo a esse é o da criança que não se sente bem em lugares barulhentos, no meio da multidão ou praticando esportes. Criou-se um estereótipo segundo o qual toda criança saudável deve gostar dessas coisas e sentir-se bem nesses contextos. É preciso reconhecer que muitas se sentem melhor em situações que de certo modo são opostas a essas, preferindo lugares pouco ruidosos, detestando estar no meio de muita gente e sentindo-se bem quando desempenham uma atividade intelectual solitária, como a leitura de um livro.

Não há qualquer justificativa para obrigar a criança a agir contra seus sentimentos. O respeito ao seu direito de sentir permitirá que ela cresça de acordo com suas características e obtenha o pleno desenvolvimento de sua personalidade. Esse é o ideal. Deixando que viva espontaneamente, ela terá condições para ser leal e sincera na vida social, para estabelecer o equilíbrio entre o pensar e o sentir. Desse modo, será feliz.

Direito de querer

I

O direito de querer implica a possibilidade de ter uma vontade livre. Esse direito deve ser reconhecido e assegurado a todos os seres humanos, mas tem significado especial em relação à criança, porque esta é praticamente indefesa e não raro, sem nenhum disfarce ou sob pretexto de educá-la, se procura anular ou dirigir sua vontade.

A criança deve ter o direito de querer, de manifestar a própria vontade sem medo nem constrangimentos. E, como parte desse direito, deve ter também a possibilidade de dizer o que não quer. Evidentemente, o querer e o não querer de uma criança estão relacionados com o ambiente em que ela vive, com os exemplos que presencia e com os estímulos que recebe. A criança teimosa, voluntariosa, impertinente, que faz pé firme porque quer alguma coisa supérflua provavelmente foi estimulada a isso por uma atitude inicial de excessiva liberalidade dos pais — quando não pelo exibicionismo destes.

Na sociedade moderna, consumista e exibicionista, as pessoas são avaliadas por sua capacidade de consumir. Quem gasta muito em coisas supérfluas mostra que tem dinheiro e por isso pertence às camadas sociais superiores. Quantos são os pais que, procurando o reconhecimento social de sua superioridade, proporcionam aos filhos tudo que se oferece como novidade como sinal de requinte, de modernidade — e que os filhos exigem para "não ficar para trás"? Os caprichos e as imitações das crianças se transformam em ordens que os pais obedecem docilmente.

Satisfazer essas vontades não é respeitar o direito de querer; ao contrário, é estimular o querer sem limite, sem responsabilidade e até mesmo sem corresponder a uma necessidade ou a uma vontade autêntica. É o querer automático, mecânico, semelhante à reação de uma máquina. É o querer para exibir, que logo será substituído por outro e mais outro e mais outro, não admitindo recusa, mas também não encontrando felicidade em sua satisfação. É a degradação do querer.

Um aspecto paralelo, que é um dos meios mais desonestos e indignos de que se valem as modernas sociedades capitalistas, é a publicidade dirigida às crianças. Fazendo apelos hipócritas à sua afetividade, degradando o que há de mais nobre e mais puro, as empresas industriais e comerciais, os bancos e as instituições financeiras, com o maior cinismo e praticando absoluta imoralidade dirigem suas mensagens às crianças. Fazendo a apologia do supérfluo, mentindo deslavadamente, simulando o estímulo às relações afetivas ou à valorização da própria criança, na realidade tratam-na como tola aproveitando-se de sua ingenuidade e fazem dela sua principal fonte de lucro.

É preciso que a sociedade reaja a isso, pois tal prática, imoral e desumana, significa violentar a vontade da criança, tirar dela o direito de querer, porque na verdade o que resta desse modo é um querer condicionado e coagido. O respeito à liberdade de expressão não deve servir de pretexto à agressão covarde e perniciosa de que vêm sendo vítimas as crianças.

É preciso que pais e educadores encabecem a reação, começando por alertar as próprias crianças, por mostrar-lhes quanta mentira e indignidade existe nas mensagens dirigidas a elas, fazendo-lhes ver que a exploração comercial da "semana da criança", do "dia das mães", do "dia dos pais" e coisas semelhantes não passa de um jogo cínico, de quem não dá valor às crianças, às mães e aos pais. E devem complementar o esclarecimento orientando-as a dar afeto em lugar de presentes, preservando assim o querer livre e autêntico.

II

A criança tem o direito de receber educação, mas para que esta não represente uma distorção de seu querer e uma imposição de valores e de padrões é indispensável que não seja encarada e utilizada como um processo de domesticação. Não se educa uma criança como se treina um cãozinho ou se ensina um papagaio. É fundamental que o processo educativo preserve a liberdade da criança, preserve seu querer livre.

Um ponto importante a ser constantemente lembrado é a circunstância de que se está educando um ser humano capaz de apreender e compreender e que pode e deve ser um participante ativo do processo. É preciso que a criança possa manifestar sua vontade durante a aprendizagem, obtenha respostas quando quiser saber o porquê daquilo que lhe está sendo ensinado e tenha certa liberdade para trabalhar mais naquilo que mais corresponde à sua vontade.

Outro ponto importante é o papel do ambiente familiar no processo educativo, sobretudo na procura de equilíbrio entre o que se quer da criança e o respeito à liberdade de querer que lhe deve ser assegurada. Um vício não muito raro e que tem péssimas consequências é a família colocar-se como modelo — perfeito, acabado e para todas as épocas — do que a criança deve pensar e querer e de como deve agir.

O exemplo mais extremado desse procedimento é o apelo à tradição, a imposição de regras e atitudes que retiram a criança da realidade presente, fazendo-a querer alguma coisa que só existe na fantasia ou na pretensão de um grupo familiar.

Proceder desse modo com uma criança é impedir o desenvolvimento de sua inteligência e condená-la à retaguarda da sociedade, a viver fisicamente no presente e mentalmente no passado. É criar velhos precoces, que sempre viverão em descompasso com seus contemporâneos, pois pretenderão a vida estagnada, conservando-se em todos os pormenores, ou então andando para trás, quando a realidade, fatal para todas as pessoas, é que ela anda para a frente.

É absurdo os adultos pretenderem que as crianças vivam hoje uma situação de ontem, além do que cada época tem suas características e exigências. O ideal é que elas se preparem para viver sua própria época, para querer o que é realizável.

Outra atitude perigosa, de certo modo oposta à tradicionalista, é a que recusa qualquer regra no processo de educação, pretendendo que a própria criança, com seu querer livre, dirija inteiramente o processo. Essa atitude, que hoje é adotada por muitos educadores, sejam eles os pais ou os professores, parte do equívoco de que qualquer ensinamento ou orientação já é uma agressão à liberdade infantil. Mas pode ser também fruto do comodismo ou do desejo de fugir às responsabilidades.

É evidente que a criança tende a recusar toda tarefa que exija esforço, preferindo fazer apenas o que é mais fácil e dá mais prazer. Mas, ao mesmo tempo, ela gosta de perceber que é capaz, de vencer desafios, de fazer descobertas. Cabe ao educador agir com paciência e criatividade estimulando-a a persistir, descobrindo meios de interessá-la na realização das tarefas necessárias à sua aprendizagem e ao seu desenvolvimento intelectual. Com firmeza e inteligência, é preciso dizer à criança que ela está executando um trabalho importante e, se for persistente e concentrar seus esforços, conseguirá vencer com facilidade. Estabelecido o jogo, virão fatalmente os primeiros progressos. E o reconhecimento deles servirá de estímulo para que ela queira avançar mais, sentindo-se feliz por verificar que é capaz e que seu esforço e sua capacidade estão sendo reconhecidos.

Desse modo, o processo educacional será um reforço da vontade livre, muito mais eficiente e mais condizente com a natureza racional da criança do que ameaças, castigos e humilhações.

III

Um ponto sempre difícil na preparação da criança para o uso de sua vontade livre é a oportunidade da recusa e da proibição, é a sensibilidade e a coragem para dizer "não" à criança no momento certo.

De um lado, é preciso evitar o excesso de complacência, a submissão total à vontade da criança, que acaba por transformá-la numa tirana desagradável e insaciável, sempre querendo mais e procurando ampliar sua tirania. Essa atitude faz dela uma pessoa de convivência difícil, aumentando consideravelmente o número e a resistência dos obstáculos que ela normalmente deverá enfrentar na vida social. A par disso, ela não ficará preparada para as negativas e contrariedades que são comuns no relacionamento humano e que, no seu caso, serão ainda maiores e mais frequentes. É óbvio, portanto, que isso não faz bem à criança, não favorece o desenvolvimento de sua personalidade nem a prepara de modo conveniente para o uso de sua vontade.

No extremo oposto está o uso excessivo, indiscriminado e desnecessário do "não". É o abuso da negativa, tão prejudicial quanto o excesso contrário. Não é raro que um adulto utilize o recurso de negar tudo que a criança pede e deseja apenas para afirmar sua autoridade e superioridade. Esse mesmo adulto pode dar à criança mais do que ela necessita ou deseja, mas desde que ela não peça. Há também os que julgam que é preciso treinar a criança para sofrer contrariedades, acostumá-la a receber disciplinada e docilmente o não, achando que desse modo ela ficará mais preparada para enfrentar as durezas e adversidades da vida social. Outros, ainda, acham mais fácil e mais cômodo cuidar de uma criança que não reivindica, que sempre recebe passivamente as ordens e restrições impostas pelos adultos; por isso, procuram desde cedo anular sua vontade.

Todos esses comportamentos são extremamente prejudiciais ao desenvolvimento da personalidade da criança, pois fatalmente criarão nela a revolta interior, o hábito de tratar a todos com dureza ou então uma personalidade apática, três hipóteses que fazem pessoas infelizes.

O "não" dito com oportunidade, quando de fato for em benefício da criança ou quando for difícil ou impossível atender seu desejo, tem valor educativo, por fazê-la saber que há ocasiões em que sua vontade não pode ser satisfeita. Mas para que o uso do "não" tenha efeitos positivos é preciso que não seja sistemático; a criança tem de perceber que quando existir possibilidade e conveniência seus desejos serão atendidos. É preferível também que ela fique sabendo, ainda que de modo sucinto, os motivos da negativa, para que tenha a sensação de que não está sendo vítima de prepotência, má vontade ou simples capricho. Além disso, é necessário que a negativa seja dada com tranquilidade, com firmeza, mas sem violência. O adulto que ao dizer não à criança levanta a voz ou faz ameaças por gestos ou palavras jamais conseguirá convencê-la de que está agindo com justiça e boa vontade.

Não se deve usar o "não" quando for fácil e sem inconvenientes o uso do "sim". Mas se o adulto estiver realmente convencido de que o "não" é necessário ou é o que mais convém à criança, deverá usá-lo. E como isso não ocorrerá na maioria das vezes em que a criança manifestar um desejo, é certo que esta, como ser inteligente e sensível, aprenderá que o sim e o não fazem parte do vocabulário usual entre pessoas que se estimam e se respeitam.

Direito de viver

I

Toda criança deve ter o direito de viver a própria vida. Para todos deve estar claro que esse direito de viver é muito mais do que o simples direito de não morrer. É evidente que a sobrevivência física também precisa ser assegurada pelos adultos, pois o animal humano tem a característica de não conseguir resolver sozinho, durante muito tempo após o nascimento, alguns problemas fundamentais, como o da alimentação e o da obtenção de proteção para o corpo.

Entretanto, é preciso não perder de vista que a criança tem outras necessidades que não as materiais, e que, como ser racional, dotado de inteligência, de consciência e de vontade, tem muitas possibilidades que poderão ser extraordinariamente desenvolvidas se houver condições favoráveis. Existe mesmo uma ligação deveras estreita entre a satisfação das necessidades materiais, psicológicas e espirituais da criança e o desenvolvimento de sua personalidade e de suas potencialidades. Aqui está o ponto básico relativo ao direito de viver: a criança deve ter o direito de fazer o que pode fazer — e isso inclui o desenvolvimento de suas possibilidades e a liberdade para a criação de seu próprio mundo.

A preocupação com a proteção da criança não pode servir de pretexto para a anulação de sua criatividade, assim como a indiferença por ela não pode ser confundida com o respeito por sua liberdade. É preciso que se conjuguem ambos, a proteção e o respeito, para que ela exerça em toda a plenitude seu direito de viver.

Viver a própria vida implica participar da criação do mundo. Quando a Bíblia, no livro do Gênesis, diz que Deus entregou a Terra ao homem para que a transformasse, está dando a ele a condição de criador. Cada ser humano é, pela própria natureza, criatura e criador, só realizando plenamente sua humanidade aquele que utiliza sua força criadora.

Quando exercita a criatividade, transformando alguma porção do mundo material, construindo cidades, cultivando o campo, removendo montanhas, abrindo vias de comunicação ou simplesmente criando figuras com um pouco de barro, o ser humano está participando do processo de criação do mundo. Assim, também aquele que trabalha com outros elementos, procurando novas formas, novas cores, novas ideias ou novas formas de convivência está, igualmente, trabalhando na criação do mundo. E desse modo está vivendo, exercendo seu direito de viver a própria vida.

Por esses motivos, para que tal direito seja de fato exercido, é preciso não impor à criança uma disciplina excessivamente rígida, obrigando-a a aderir a um mundo pronto e acabado. É comum que os pais, os governantes e até muitos professores considerem que sua educação, seus padrões de convivência, suas preferências estéticas e suas crenças constituem o máximo de perfeição que um ser humano pode atingir. Por isso entendem que a criança inteligente e bem-educada é aquela que aceita passivamente as regras que lhe são impostas e procura sempre imitar os adultos que se colocam como padrões, aderindo aos seus hábitos e à sua visão do mundo. Isso é negar à criança o direito de viver a própria vida. Sem esquecer isso tudo, é preciso voltar ao ponto de partida: o direito de viver não é apenas o direito de não morrer, mas só pode ser realidade se, antes de tudo, estiver assegurado o direito de sobreviver. Em países como o Brasil, com altíssimos níveis de mortalidade infantil, esse direito não existe para um número muito elevado de crianças. É necessário que as pessoas tenham olhos para ver e que sua consciência lhes diga que, nesse caso, a omissão é cumplicidade.

Não basta que cada um garanta a sobrevivência de "sua criança", daquela que está diretamente sob sua responsabilidade. É preciso

(O direito da criança ao respeito)

que todos se admitam responsáveis pela garantia do direito à vida de todas as crianças e que, a partir daí, procurem influir como for possível para mudar as condições de vida social. É preciso que as crianças vivam.

II

O direito de viver só existe quando se dá à criança a possibilidade de participar da vida. Para existir com plenitude, ela deve ter o direito de pensar, de falar e de agir com liberdade.

O pensamento está dentro das pessoas e, por isso, muitas vezes se disse que ele não pode ser aprisionado. Não há cadeia ou corrente que prenda o pensamento de um indivíduo e impeça que ele nasça, cresça e voe com liberdade. A verdade, porém, triste verdade, é que muitos seres humanos usaram e usam a inteligência para desenvolver técnicas de controle e aprisionamento do pensamento. O medo, a ilusão, a imposição de hábitos de pensar são instrumentos usados para impedir a liberdade de pensamento. Esse aprisionamento do espírito às vezes se dá de maneira ostensiva e violenta, mas com frequência é suave e sutil — e nesse caso talvez seja mais perigoso, porque não é percebido nem desperta reação, adormecendo as resistências.

Em relação à criança, é comum que se procure realizar ou se realize essa violência contra a liberdade de pensar, restringindo-se seriamente seu direito de viver. A imposição de bloqueios ao pensamento livre mistura-se muitas vezes com a intenção ou o pretexto de educar. O adulto intolerante, autoritário ou ignorante logo considera inconveniente ou perigoso um pensamento que não coincide com o seu e dificilmente tolera um pensar criativo. E, no entanto, é indispensável que se respeite essa expressão de liberdade, que é um momento de expansão da vida.

É por meio dessa espécie de desrespeito ao direito de viver que se transmitem os preconceitos, matando na criança a possibilidade de fazer os próprios julgamentos e de viver de acordo com sua escala de valores, livre e conscientemente fixados.

Viver é participar da vida, é acrescentar alguma coisa à criação, é imprimir sua marca no mundo criado. O direito de viver só existe para quem tem todas essas possibilidades.

III

O exercício do direito à vida deve ser uma constante prática do pensar, do falar e do agir, da expressão livre e do diálogo. Vida é movimento, e no ser humano este acontece no íntimo, no pensamento que nunca se interrompe, e também no plano físico, no corpo que sempre se transforma.

Mas o viver humano exige a expressão do pensamento, a comunicação com o outro, o intercâmbio da inteligência e do afeto. O viver humano se completa com o diálogo, pois assim como ninguém pode viver só, em completo isolamento, não basta a proximidade física do outro; é indispensável que haja convivência afetiva e intelectual. Para toda pessoa humana é uma tragédia perceber que não tem diálogo com ninguém, que não tem comunicação com seus semelhantes, que mesmo falando e estando ao lado de quem fala não consegue de fato ouvir nem ser ouvida.

A humanidade passa por um momento em que muitos sofrem a tragédia do diálogo impossível. A formação de grandes cidades, superpopulosas, concentrando riqueza e miséria, teve efeitos contraditórios. Muitos vivem amontoados em pequenos espaços, sendo poucos os que podem estar em algum lugar onde não estejam outras pessoas. E, no entanto, essa proximidade física forçada não favorece o diálogo e com frequência é causa de seu bloqueio. A convivência nos termos de hoje é uma constante competição, sobretudo nos países em que se pôs como ideal de vida o enriquecimento material. As pessoas são avaliadas pelo que ganham, pelo patrimônio material que acumularam e pela ostentação de riqueza. Isso atingiu a todas as camadas da população; mesmo entre os mais pobres se faz a diferenciação pelo nível de ganho e há uma competição feroz pelas posições mais rendosas. O pobre quer mostrar que já conseguiu mais que o miserável.

(O direito da criança ao respeito)

O ambiente de competição material constante eliminou, em grande parte, a capacidade de agir com afeto, a preocupação com a felicidade do outro e o respeito a regras morais. O efeito imediato foi que muitos passaram a ter seu próprio mundo, fechado e protegido, comandado pelo egoísmo. Nada se dá se não houver a certeza de receber algo em troca ou de tirar algum proveito. A atenção para com o outro tem o sentido de desperdício e, além disso, todos os outros são vistos com desconfiança e temor. Todos estão competindo e cada um pode ser o inimigo, o que vai tirar alguma coisa sem dar nada em troca, o que vai impedir a obtenção de um lugar melhor, o que vai distrair a atenção quando é preciso estar atento a todas as possibilidades e a todos os riscos. O egoísmo e o medo são presenças constantes, e até mesmo os que vivem sob o mesmo teto, passam horas lado a lado vendo TV ou todos os dias se encontram num meio de transporte ou num local de trabalho — ou aqueles que frequentam os mais repletos e movimentados lugares de recreação — não chegam ao diálogo. A proximidade física forçada criou desertos ambulantes, pessoas que nunca chegam até as outras e não recebem ninguém, que não vivem a plenitude de uma vida humana.

O reconhecimento do direito à vida exige que se deem à criança as condições de diálogo, que ela sinta e perceba que é importante para os outros e não seja forçada a ver nas relações humanas uma transação ou um risco.

IV

O direito de viver exige uma existência com autenticidade, cada um sendo o que realmente é, podendo dizer aquilo que tem necessidade de dizer – e não apenas o que os outros querem que seja dito.

Toda criança deve ter a possibilidade de não mentir e de acreditar nas pessoas. A vida social exige que sejam estabelecidas regras de convivência, necessárias para que os seres humanos sejam respeitados e para que haja equilíbrio entre os interesses de cada um e a solidariedade social que sempre deve existir. É por isso que existem as regras do direito e as da moral, que cada sociedade estabelece de acordo com suas características e tradições. E existem ainda as convenções sociais, regras que em certa época e em determinado lugar são consideradas "de boa educação" ou constituem simplesmente modas ou hábitos passageiros que um grupo social adota.

É comum que haja indivíduos que exageram na exigência de respeito a todas essas regras e ameaçam ou castigam com severidade as crianças que não as respeitam rigorosamente. Muitas vezes essas regras são meras convenções ligadas a preconceitos ou a modismos criados pela publicidade ou para distinguir as pessoas mais ricas ou que querem parecer mais modernas. Assim, por exemplo, há épocas em que "não fica bem" não gostar de um certo tipo de música ou não estar de acordo com certos comportamentos sociais. A pressão sobre as pessoas é tão grande que poucas têm a coragem de dizer que não gostam ou não estão de acordo. Mente-se para estar na moda, e muitos dos que mentem são críticos ferozes dos que não dizem a mesma coisa, mesmo que por fingimento.

Esse hábito da circulação social da mentira não fica, porém, nas coisas superficiais, mas atinge também questões da maior importância, podendo mudar por completo os rumos da vida de uma pessoa. E as crianças são as maiores vítimas desse vício social que lhes tira o direito de viver a própria vida.

Quantos indivíduos mentem, e com que frequência, quando afirmam suas crenças religiosas, filosóficas ou políticas! Quanta distância existe entre aquilo em que dizem acreditar e o que costumam fazer! E essas falsas crenças são impostas às crianças, que são forçadas a dizer que acreditam nas mesmas coisas, mesmo que não saibam do que estão falando ou prefiram dizer que não acreditam.

Por um lado, essas crianças não conseguem viver com autenticidade, pois são obrigadas a mentir e a aceitar a mentira como fato normal da vida. Isso determina um modo de ser, um comportamento social, é uma limitação imposta pelo adulto à expansão da personalidade infantil. E é o mesmo adulto que tem esse procedimento e que, enquanto procede assim, diz à criança que não deve mentir e lhe impõe castigos quando mente. Um desdobramento significativo é o fato de que a criança percebe a falta de autenticidade do adulto e vai perdendo sua capacidade de acreditar nas pessoas. "É preciso desconfiar sempre, duvidar das boas intenções que as palavras anunciam, nunca revelar suas próprias verdades, fingir para agradar." Essa é outra limitação importante que atinge a criança em seu direito de viver, pois tanto a obrigação de mentir quanto a impossibilidade de acreditar impedem a expansão da vida, o viver pleno e autêntico.

V

A impossibilidade de ser o que é, de manter abertos o coração e a mente, de falar e de ouvir sem a censura dos convencionalismos hipócritas torna impossível viver uma vida própria.

O direito de viver, quando respeitado em toda a plenitude, inclui a possibilidade de fazer experiências, de cometer erros, de não ser apenas o reflexo ou a imitação do que outros já foram ou já experimentaram. Esse direito é mutilado quando a criança é forçada a seguir rigorosamente um padrão de certo e errado, imposto por adultos que criaram um modelo ideal de "criança boa" e não se lembram do que foram quando crianças.

Os erros que a criança vai cometendo à medida que se desenvolve podem ser classificados em duas categorias. A primeira é a dos que são considerados erros porque não correspondem aos desejos dos adultos. Aqui, mais uma vez, é oportuno lembrar que as pessoas tendem, de modo geral, a se colocar como modelos ou fontes de sabedoria. Ou querem ser imitadas pelas crianças ou que estas adotem os comportamentos que, no seu entender, são os únicos certos. Tudo que for diferente é erro, e não percebem que o diferente pode ser nem pior nem melhor. O que consideram erro é apenas um modo diverso de viver a vida; não é mais do que a forma ou o estilo de uma nova época, que pouco depois também será passado e dará lugar a outras inovações.

Pode-se não gostar desses erros, preferir que eles não sejam cometidos, mas é preciso tolerá-los e deixar que aconteçam, porque fazem parte do direito de viver. Além disso, não trazem prejuízos reais a quem os comete e só perturbam a quem não os tolera.

Há outra categoria de erros que pode trazer algum prejuízo e acarretar sofrimentos, mas também deve ser tolerada porque faz parte do direito de viver experiências próprias. Cada geração deve ter o direito de cometer os próprios erros.

É razoável procurar impedir que a criança cometa erros que a experiência demonstrou ser muito danosos ou acarretar grande sofrimento ou perdas irreparáveis. Isso, porém, sem pretender que a criança seja um modelo de perfeição e sem lhe deixar espaço para que faça suas experiências e sofra os resultados delas. O erro, quando não traz consequências graves e irremediáveis, tem compensações que podem ser muito positivas. Ele é um exercício de liberdade e isso contribui para o crescimento interior da criança. E também é uma forma de aprendizagem, pois a estimula a viver de olhos abertos, ensinando-lhe a conveniência de avaliar as opções que se puserem à sua frente e infundindo-lhe um sentimento de responsabilidade por suas decisões.

Por tudo isso, é preferível não restringir nem proteger demais, não exagerar na exigência de perfeição nem na censura. A criança que não puder fazer suas experiências nem tiver qualquer oportunidade de cometer os próprios erros não estará gozando plenamente do direito de viver.

VI

Só está sendo assegurado o direito de viver quando se respeita uma criança como ela é, sem impor-lhe máscaras, disfarces ou fantasias.

Uma criança é antes de tudo um ser humano e, como tal, deve ser respeitado. Uma criança é uma criança. Nem gênio nem herói, nem astro nem estrela, nem boneca nem manequim, nem campeão nem sucesso social. É injusto o pai ou a mãe utilizarem o filho para satisfazer sua vaidade, seu orgulho, sua necessidade de ficar em evidência ou sua vontade de competir. É triste ver uma criança usada para compensar frustrações ou satisfazer ambições de quem deveria respeitá-la e protegê-la, dando-lhe a possibilidade de se desenvolver livremente e de viver a própria vida.

Assegurar à criança o direito de viver é não humilhá-la em qualquer hipótese e por nenhum motivo. O adulto que humilha uma criança revela seu mau caráter, sua maldade essencial, sua falta de consciência da condição humana. E quantas vezes uma criança é submetida à humilhação porque um adulto quer afirmar sua superioridade — e só afirma sua covardia — ou porque alguns querem divertir-se, externando seu senso de humor — e só externam sua boçalidade? Divertir-se com uma criança pode ser muito agradável e saudável para a própria criança; isso lhe dá alegria, inspira-lhe confiança e contribui para sua criatividade. Mas é absolutamente necessário que ela jamais seja humilhada, para que a brincadeira não se converta em agressão.

A criança não deve ser dominada nem usada como se fosse um animal doméstico ou qualquer objeto útil. Ela é uma pessoa, um ser humano que tem vida inteligente. É preciso conciliar a disciplina com a liberdade, e este é um dos maiores desafios para quem convive com crianças ou é responsável por elas.

Quem dá ordens a uma criança não deve tirar proveito do fato de que ela é fisicamente inferior, menos experiente, mais ingênua e mais fácil de ser intimidada que um adulto. As ordens devem ser dadas com serenidade e respeito, fazendo o possível para que a obediência seja espontânea e para que a criança não tenha a sensação de estar sendo agredida ou injustiçada. Ela jamais deve ser tratada como escrava, e quando, de acordo com as regras sociais vigentes, tiver o dever de obediência, é importante que saiba por que deve obedecer.

Preservar a dignidade na obediência, fazer sentir que uma ordem ou exigência não é expressão da raiva, do desejo de vingança ou da prepotência de um adulto: esse é o modo de exercer autoridade sobre a criança, respeitando-a como pessoa. Assim se equilibra a necessidade de ordem com a liberdade, o exercício da autoridade com a preservação da dignidade de quem obedece. Assim a criança convive na disciplina que lhe é útil ou necessária, crescendo como pessoa livre no pleno exercício de seu direito de viver.

Direito de sonhar

I

A criança que não tiver o direito de sonhar ainda não começou a viver ou já está condenada a uma vida cinzenta, mais sobrevivência do que vida. A criança sem sonhos está limitada ao mundo da razão, a executar rotinas com maior ou menor dificuldade, a resolver os problemas do dia a dia de olhos no chão. Talvez ela consiga usar a razão com toda a falta de graça de que são capazes os extremamente racionais, talvez seja limitada também como racional, mas nunca terá o encanto, o mistério, a emoção e a ousadia dos sonhadores. A criança sem sonhos é uma águia nascida sem asas.

Toda criança deve ter o direito de viajar de vez em quando pelo mundo do sobrenatural e de acreditar no impossível. Pobre daquela que só consegue ver o que os adultos consideram realmente existente e tem seus horizontes limitados pelo que eles acham que é possível. Para ser verdadeiramente criança, ela deve ter o direito de conviver com as criaturas produzidas por sua mente criadora, que serão muitas vezes seus companheiros mais amados e lhe darão pela vida afora a convicção de que em algum lugar existe um mundo que não tem a monotonia e a desesperança do rotineiro. O sobrenatural da criança é uma região de liberdade, capaz de constante renovação — e por isso mesmo fonte de esperança. Por isso ela deve ter o direito de chegar até ele.

É negativo e terrivelmente prejudicial à criança não lhe dar o direito de acreditar que o impossível pode fazer-se possível. Ela deve ter o direito de crer no impossível para que não se torne um adulto medíocre, preso ao já conhecido e usado, incapaz de fazer experiências e de inventar caminhos e soluções. Exigir que a criança acredite apenas no possível é uma forma de esterilizar sua inteligência, de lhe tirar a confiança e de impedir que ela tenha fé.

A criança deve ter o direito de ser criativa, de não ser obrigada a agir somente cumprindo regras, de viver suas fantasias. Um ponto delicado e geralmente causador de muitos conflitos é a confusão que se faz entre fantasia e mentira. Quando uma criança diz com toda a convicção que "viu" alguma coisa ou que algo "aconteceu", é logo chamada de mentirosa se o que afirma ter visto ou acontecido não se enquadra na lógica do razoável. O adulto, viciado na convivência com a má-fé, logo conclui que ela está querendo enganar ou fazer alguém de tolo.

É preciso aceitar que toda criança tem o direito de viver suas fantasias. O mundo da fantasia é o reino da criação; suas fronteiras vão muito além dos limites dos sentidos e sua lógica é diferente daquela que governa o mundo da razão. A criança que fantasia, misturando sonho e realidade, faz uso mais intenso e mais ousado da inteligência, como pequena divindade criadora de mundos. Ela deve ter assegurado esse direito.

Existem situações em que a confusão entre fantasia e realidade leva a criança a contrariar algumas regras estabelecidas. Isso preocupa o adulto, que só considera real aquilo que todos consideram real e acha indispensável disciplinar a criança para cumprir com rigor as regras de conhecimento e ação reconhecidas e aceitas por todos.

Quem for capaz de não perder de vista que a criança é uma criança reagirá de modo diferente. Antes de tudo, entenderá que ela não é uma coisa, um aparelho de precisão construído e ajustado para repetir sempre determinados movimentos. A par disso, terá em conta que nem todas as regras estabelecidas são de fato necessárias e úteis para a criança, havendo muitas que só correspondem a conveniências dos adultos. E, por último, saberá que o poder de fantasiar corresponde ao desenvolvimento de uma faculdade criadora que sempre será útil. E, ainda que se veja algum prejuízo na desobediência das regras, é preciso considerar se o uso da capacidade de ir além do conhecido e do estabelecido não representa um ganho.

A criança que não tiver o direito de viver suas fantasias estará condenada à mediocridade da imitação e da repetição estéril. É necessário que ela fantasie sobre o presente, assim como sobre o futuro, para que possa desenvolver integralmente sua personalidade e realizar-se como pessoa.

II

Toda criança deve ter o direito de achar bonitas as coisas que acha bonitas. Uma ideia muito perigosa e bastante difundida é a de que se deve "educar o gosto" da criança, ensinando-a a só achar bonito o que é de fato bonito.

Não confundamos as coisas. Uma criança que ainda não viu nem ouviu muitas coisas, que ainda não se acostumou a observar as formas, as cores, os sons e os movimentos necessita de ajuda para ampliar seu universo. E não será ruim chamar sua atenção para certos particulares ou para determinados efeitos, a fim de estimular sua capacidade de observação e de crítica. Quando se mostra a uma criança um quadro ou uma escultura, ou quando se quer que ela fique atenta a determinada música, é bom para ela que sejam dadas algumas explicações, que seu interesse seja estimulado, não havendo mal em perguntar se ela gosta ou acha bonito. Pode-se mesmo fazer alguma provocação, mostrando que não se está convencido do que ela diz e pedindo-lhe que observe ainda mais para ter certeza de que gosta.

Esse estímulo ao despertar do interesse e essa iniciação à atitude crítica, de quem examina e avalia antes de fixar uma conclusão, não podem ser confundidos com a imposição de um gosto ou de um critério. É óbvio que o adulto, com mais conhecimento e maior experiência, tem a possibilidade de argumentar com a criança e de conduzir sua observação e suas reflexões, impondo certa conclusão. Mas quem proceder desse modo a estará desrespeitando, agredindo sua liberdade e negando-lhe o direito de gostar do que gosta. Isso tira dela o direito de sonhar, que é a possibilidade de criar sua própria realidade e de ir muito além do que a razão é capaz de oferecer.

A criança criadora de mundos pode superar as limitações impostas por sua pobreza, pela falta de atenção, pelas deficiências de sua educação escolar e até mesmo pelo excesso de inutilidades despejadas sobre sua cabeça com o pretexto de educar. No seu mundo de sonhos, ela descobre e cria novas harmonias, inventa caminhos próprios e assim apura a sensibilidade e desenvolve a inteligência. Desse modo, ela caminha para sua realização como pessoa, ao mesmo tempo que vai se preparando para dar contribuições à humanidade.

III

Toda criança deve ter o direito de se alegrar com suas alegrias e de se mostrar feliz quando está feliz. Suas alegrias podem vir de coisas muito simples, que os adultos não percebem ou consideram com indiferença. Não é raro que alguém queira dar alegria a uma criança recorrendo a meios complicados, a brinquedos caros, a passeios cansativos, a coisas que aborrecem ou sacrificam os adultos sem dar felicidade à criança. Quando isso acontece, quase sempre a acusam de ser mal-agradecida, de não reconhecer o esforço que se faz para lhe dar alegria, de ser insensível ou de não querer colaborar por maldade.

Quem for atento ao comportamento das crianças verá que é bem mais fácil fazê-las felizes quando se permite que elas próprias descubram o que lhe dá alegria e felicidade. Para estar alegre e feliz, a criança não precisa estar rindo ou anunciando por palavras seu contentamento. Basta a expressão de serenidade de seu rosto, às vezes um leve sorriso, um olhar maroto ou iluminado para se notar que ela está feliz. E essa felicidade é mais fácil de ser encontrada quando a criança pode ser espontânea e descobre a beleza ou o lado divertido das coisas pelos próprios meios.

Quantas vezes uma criança irradia felicidade só pelo fato de andar pela guia de uma calçada ou por saltar sobre as riscas do chão!

(O direito da criança ao respeito)

Outras vezes, o simples caminhar passando a mão nas grades de um jardim ou examinando as plantinhas do caminho lhe traz felicidade. Em outras ocasiões, é a observação dos movimentos de um gato, o acompanhamento do voo dos pombos, o exame das atividades de uma formiga a sua fonte de alegria. E que festa pode ser para a criança produzir ruídos numa lata ou imitar o latido de um cachorro!

A civilização do consumo e da competição econômica desvirtuou totalmente a noção de criança feliz. No lugar dela colocou a criança acomodada, que deve buscar distração olhando passivamente as imagens da televisão ou usando, como um autômato, os brinquedos caros postos à sua disposição. O que se quer, de fato, é que ela não incomode, mesmo que sua alegria seja apenas aparente, o consumo convencional e padronizado da alegria, que mata nela a capacidade de ser espontânea e de ter a felicidade autêntica, que brota de seu espírito.

E há também a prática imoral, muito difundida na sociedade dirigida pela competição econômica, de dar à criança um brinquedo muito caro e sofisticado "para que ela não se sinta inferior às outras" ou para que ninguém pense que seus pais não são ricos. Esse é um caso de pais infelizes que produzem crianças infelizes que serão adultos infelizes.

É evidente que um brinquedo mais caro também pode dar alegria a uma criança e ajudá-la a sentir-se feliz. Mas ninguém deve pretender que o preço do brinquedo seja razão de felicidade e muito menos querer forçar a criança a ser alegre e feliz porque ganhou um brinquedo caro ou até mesmo uma grande quantidade de brinquedos.

A criança deve ter o direito de olhar o mundo com seus olhos, de ouvir com os ouvidos a voz da natureza, de sentir com as mãos a consistência das coisas. E sua convivência com crianças e adultos precisa ser uma constante possibilidade de diálogo, em que ela dá e recebe, enriquecendo-se interiormente porque pode expandir sua personalidade ao mesmo tempo que vive a experiência da solidariedade humana.

(Janusz Korczak e Dalmo de Abreu Dallari)

Toda criança deve ter o direito de ser alegre e feliz, de viver uma realidade que estimule os sonhos e de usar a matéria-prima dos sonhos para fecundar a realidade. Um mundo de crianças sonhadoras e felizes será a garantia de um mundo de paz.

Os autores

Dalmo de Abreu Dallari

Dalmo de Abreu Dallari nasceu em 31 de dezembro de 1931 na cidade paulista de Serra Negra. Teve três irmãos e uma irmã. Seu pai, descendente de italianos, era dono de uma sapataria e tinha o costume de explicar a seus clientes, quase todos imigrantes que trabalhavam na lavoura, as matérias que lia nos jornais. Sua mãe era uma leitora assídua e admiradora de Castro Alves e Álvares de Azevedo.

Quando Dalmo tinha 16 anos, sua família se mudou para a capital do estado com a intenção de que os filhos homens estudassem. Tendo crescido nesse ambiente familiar impregnado de conversas sobre política e literatura abolicionista, ele já saiu de Serra Negra decidido a estudar Direito. Graduou-se na Faculdade de Direito da Universidade de São Paulo (USP) em 1957 e obteve a livre-docência nessa instituição em 1963. No ano seguinte, tornou-se professor titular da cátedra de Teoria Geral do Estado, cargo que ocupou até 2001, quando se aposentou.

No último ano de graduação, Dalmo trabalhava num escritório de advocacia na Praça da Sé e ficou chocado ao presenciar a brutalidade com que as greves de operários eram reprimidas pela polícia. Católico, ele se sentiu chamado à solidariedade e passou a atuar em defesa dos direitos humanos. Anos mais tarde, já como professor e jurista, teve papel ativo na luta contra a ditadura civil-militar que se instalou no país em 1964.

Em 1972, período em que a violência do Estado atingia seu ápice, foi convidado pelo cardeal dom Paulo Evaristo Arns para presidir a Comissão Pontifícia de Justiça e Paz em São Paulo, organização criada com o propósito de ajudar familiares e amigos de desaparecidos políticos.

Por seu ativismo, foi alvo de perseguição política, inclusive dentro da universidade, onde foi banido de muitas aulas. Em 1980, às vésperas da visita do pontífice dom Paulo II a São Paulo, sofreu um sequestro-relâmpago e foi espancado para que se calasse. Mas isso não o impediu de fazer seu discurso na cerimônia do dia seguinte.

Ao longo da década de 1980, contribuiu de maneira significativa com a Assembleia Constituinte, o que resultou nos artigos 231 e 232 da Constituição Federal de 1988, os quais reconhecem os direitos originários dos povos indígenas.

De 1986 a 1990, foi diretor da Faculdade de Direito da USP. Nesse período, atendendo a protestos das alunas, fechou o departamento feminino, considerado uma segregação. Em seus tempos de estudante, havia apoiado as colegas que, por serem minoria, solicitaram a criação desse espaço reservado a elas.

Sua passagem pela política formal se resume ao período em que foi secretário de Negócios Jurídicos da Prefeitura de São Paulo (1990 a 1992), durante a gestão da prefeita Luiza Erundina. Porém, como certa vez afirmou, ele fazia política o tempo todo, mas de uma forma não partidária, motivado por sua formação cristã e usando o direito como instrumento de transformação social.

Em 2007, recebeu o título de professor emérito da Faculdade de Direito da USP. Escreveu e publicou inúmeros livros que procuravam aproximar o direito da prática social. Seu *Elementos da teoria geral do Estado* é uma referência para estudantes de Direito em todo o país.

Foi um grande defensor da democracia e do estado de direito e jamais se omitiu diante de situações de injustiça. Assinou muitos artigos de opinião nos quais deixava claro seu posicionamento: em 2013, manifestou seu repúdio à proposta de emenda constitucional para modificar os critérios de demarcação das terras indígenas a fim de restringir os direitos desses povos em nome de interesses privados; em

2015, foi um dos muitos intelectuais que assinaram um manifesto contra o *impeachment* da presidenta Dilma Rousseff, afirmando que seu afastamento não tinha fundamentação jurídica e configurava um golpe de Estado.

Dallari faleceu no dia 8 de abril de 2022, em sua casa, em São Paulo, aos 90 anos, por insuficiência respiratória. Deixou esposa, sete filhos, 13 netos e dois bisnetos, e entrou para a história como um dos maiores juristas brasileiros. Totalmente comprometido com a causa dos direitos humanos, acreditava que o respeito aos direitos das crianças está na base da construção de uma sociedade fraterna e solidária.

Janusz Korczak

Henryk Goldszmit, que ficaria mundialmente conhecido como Janusz Korczak, nasceu em Varsóvia, na Polônia, em 22 de julho de 1878. Filho de judeus ilustrados e prósperos, teve uma ótima educação e uma infância relativamente normal — até que seu pai precisou ser internado por problemas psiquiátricos. Na ocasião, os recursos familiares se reduziram, mas Henryk se refugiou na literatura, ampliando ainda mais sua cultura.

Em 1896, a morte prematura do pai obrigou o jovem Henryk, então com 17 anos, a ajudar financeiramente a família. Ele começou a dar aulas particulares e descobriu seu amor pelas crianças e pela educação. Foi nesse período que se tornou amigo da gente miúda dos bairros pobres de Varsóvia e começou a escrever contos e artigos. Em 1898, ingressou na Faculdade de Medicina de Varsóvia e passou a ser conhecido pelo pseudônimo Janusz Korczak — na época, já havia diversas leis antissemitas, o que talvez explique a escolha de um nome polonês.

O caminho natural, segundo suas inclinações, foi optar pela Pediatria. Graduou-se em 1904 e fez residência no Hospital Judaico infantil. No ano seguinte, foi convocado para a Guerra Russo-Japonesa — a Polônia vivia então sob domínio russo —, mas continuou produzindo e publicando seus escritos. Em 1906, retornou ao Hospital

Judaico, onde trabalhou por sete anos, atendendo sobretudo crianças carentes e órfãs.

Em 1912, ao lado de sua fiel colaboradora Stefania Wilczynska (conhecida como Stefa), Korczak fundou o orfanato Dom Sierot, que chegou a abrigar 150 crianças entre 7 e 14 anos. Foi ali que surgiram os princípios revolucionários de Korczak referentes à educação: democracia, autogestão, horizontalidade nas relações, rejeição total aos castigos físicos, diálogo, respeito aos direitos da criança, incentivo ao lazer e ao aprendizado prazeroso.

Durante a Primeira Guerra Mundial (1914-1918), Korczak foi novamente convocado e serviu como médico. Com o ocaso do regime czarista, em 1917, a Polônia voltou a ser um país independente. Ao final dos conflitos, Korczak foi convidado a auxiliar na fundação de novos orfanatos e continuou trabalhando com crianças. Escreveu diversos livros nesse período, entre eles sua obra-prima, *Quando eu voltar a ser criança*, de 1926. Entre 1934 e 1936, viajou para a Palestina, onde se reencontrou com suas origens judaicas.

Porém, com a ascensão de Adolf Hitler na Alemanha, em 1933, o antissemitismo se espalhou pela Europa com grande rapidez. O boicote social e econômico aos judeus e a violência escancarada contra esse povo tornaram-se realidade. Korczak também sofreu com isso: embora respeitadíssimo por seus feitos, ele foi afastado das instituições não judaicas e impedido de publicar seus artigos na mídia polonesa.

Em 1º de setembro de 1939, o exército alemão invadiu a Polônia, subjugando mais de 3 milhões de judeus. No ano seguinte, estes passaram a ser confinados em guetos. Confinado no gueto de Varsóvia, Korczak fez de tudo para manter a rotina no orfanato judaico, apesar de todas as dificuldades enfrentadas.

Entre julho e setembro de 1942, mais de 300 mil pessoas foram deportadas do gueto de Varsóvia para campos de concentração. As 200 crianças do orfanato e dezenas de educadores teriam o mesmo destino. Embora tivesse recebido ao menos duas ofertas de salvo-conduto, Korczak se recusou a abandoná-los.

Em meio à confusão provocada pelo embarque nos trens, marchou silenciosamente com seus órfãos, uma criança em cada mão, mantendo o olhar sereno e a cabeça erguida. Foi assassinado, ao lado de seus colegas e alunos, em agosto de 1942, no campo de extermínio de Treblinka. Seu legado permanece entre nós e continua inspirando mulheres e homens ao redor do mundo.

Jaime Wright

Jaime Nelson Wright, o reverendo James Wright, nasceu em Curitiba, no Paraná, no dia 12 de julho de 1927. Foi o terceiro de sete filhos. Na infância, perdeu drasticamente dois irmãos, vítimas de afogamento, e a irmã caçula, ainda bebê, vítima de disenteria. Filho de missionários presbiterianos norte-americanos, frequentou a escola primária e a secundária no Brasil e concluiu seus estudos nos Estados Unidos. Formou-se em Letras e Sociologia pelo College of the Ozarks, no Arkansas, e em Teologia pela Universidade de Princeton, em Nova Jersey. Em Princeton, foi fortemente influenciado pelo pensamento ecumênico, que marcaria profundamente sua trajetória tanto em sua prática religiosa como política.

Durante esse período nos Estados Unidos, conheceu Alma, com quem se casou. Então regressou ao Brasil para exercer o ministério. Seu primeiro trabalho foi no interior da Bahia, como diretor do Instituto Ponte Nova, escola pública fundada por missionários presbiterianos décadas antes. O casal teve quatro filhas e um filho. No fim dos anos 1960, Jaime mudou-se com a família para a cidade de Caetité, também no interior da Bahia, onde prosseguiu com suas atividades missionárias. Por suas denúncias contra os desmandos do governo, começou a sofrer perseguição política.

Em 1968, infiltrado em lojas maçônicas, organizou uma mesa-redonda que aprovou uma declaração condenando a transgressão aos direitos humanos. Nesse mesmo ano, assumiu a direção da Missão Presbiteriana do Brasil Central (MPBC), em São Paulo, órgão jurídico responsável por administrar os bens da Igreja Presbiteriana norte-americana no Brasil. Comprometido com a realidade socioeconômica local, ajudou a promover, por meio da MPBC, uma modesta "reforma agrária", distribuindo parte das terras da Igreja na Bahia e no Mato Grosso para que famílias dessas regiões pudessem obter o seu sustento.

Durante a ditadura, foi um dos primeiros a se rebelar contra a postura do reverendo Boanerges Ribeiro, que emprestou apoio de entidades presbiterianas ao regime militar, até que, em 1978, fundou uma entidade dissidente, a Federação Nacional de Igrejas Presbiterianas (Fenip), que daria origem à atual Igreja Presbiteriana Unida do Brasil, com sede em Vitória (ES).

Em 1973, seu irmão Paulo Stuart Wright, que militava na clandestinidade contra o regime militar, entrou para o rol de desaparecidos políticos depois de ser preso e torturado até a morte na sede do DOI-Codi, em São Paulo. Jaime, com o apoio de dom Paulo Evaristo Arns, cardeal arcebispo de São Paulo, e do rabino Henry Sobel, outros dois grandes nomes na luta em favor dos direitos humanos, coordenou um longo projeto investigativo que reuniu documentação sobre torturas e assassinatos praticados pelo Estado. Esse projeto, intitulado *Brasil: nunca mais*, sistematizou, ao longo de seis anos de trabalho clandestino nas condições mais adversas, informações de mais de 1 milhão de páginas e 700 processos do Supremo Tribunal Militar, onde eram julgados os acusados de crimes políticos. O trabalho culminaria na publicação, em 1983, do livro homônimo, que expôs os torturadores e trouxe a público as atrocidades cometidas pelo regime. O livro se tornou um marco na história dos direitos humanos no país e abriu caminho para que se instaurassem a Comissão da Anistia (2001) e a Comissão Nacional da Verdade (2010).

Ao longo de sua vida, Jaime ajudou a fundar várias entidades ecumênicas que tiveram papel ativo no combate à ditadura. Foi um dos principais responsáveis pelo Comitê de Defesa dos Direitos Humanos nos Países do Cone Sul (Clamor), fundado em 1977 com o objetivo de oferecer proteção e assistência a refugiados políticos e vítimas de violações dos direitos humanos no Brasil, na Argentina, no Chile, no Paraguai e no Uruguai.

James Wright faleceu em 28 de maio de 1999, aos 71 anos, em sua casa em Vitória (ES), vítima de um infarto do miocárdio, depois de mais de cinco décadas de trabalho incansável na defesa dos direitos humanos, da democracia e da justiça social.

www.gruposummus.com.br